DISCARD

Księga przysłów

Co to znaczy?

Moim dzieciom —
Nawojce, Mateuszowi i Małgosi

GRUPA WYDAWNICZA
PUBLICAT S.A.

Papilon	Publicat	Elipsa	Wydawnictwo Dolnośląskie	Książnica
książki dla dzieci: baśnie i bajki, klasyka polskiej poezji, wiersze i opowiadania, powieści, książki edukacyjne, nauka języków obcych	poradniki i książki popularnonaukowe: kulinaria, zdrowie, uroda, dom i ogród, hobby, literatura krajoznawcza, edukacja	albumy tematyczne: malarstwo, historia, krajobrazy i przyroda, albumy popularnonaukowe	literatura młodzieżowa, kryminał i sensacja, historia, biografie, literatura podróżnicza	literatura kobieca i obyczajowa, beletrystyka historyczna, literatura młodzieżowa, thriller i horror, fantastyka, beletrystyka w wydaniu kieszonkowym

NajlepszyPrezent.pl
TWOJA KSIĘGARNIA INTERNETOWA

Tekst i wybór – Ewa Małgorzata Wierzbowska
Ilustracje – Marta Kurczewska
Redakcja – Donata Wojtkowiak
Projekt graficzny – Hubert Grajczak
Projekt i realizacja okładki – Hubert Grajczak, Marek Nitschke
Realizacja komputerowa projektu – Elżbieta Baranowska, Tomasz Piątkowski
Korekta – Anna Belter

© Publicat S.A. MMIX, MMXIV
Without infringement of the copyright of individual works contained in this book.
All rights reserved
ISBN 978-83-245-7069-0

**Centrum Edukacji Dziecięcej – znak towarowy
Publicat S.A.**
61-003 Poznań, ul. Chlebowa 24
tel. 61 652 92 52, fax 61 652 92 00
e-mail: ced@publicat.pl
www.publicat.pl

Cześć dzieciaki!

Czy zdarzyło wam się kiedyś, że nie wiedzieliście, co powiedzieć i jak się zachować, w jaki sposób zareagować na czyjeś zachowanie? Jest na to rada – poznajcie przysłowia, by posłużyć się nimi w podbramkowej sytuacji. Zanim zostały zapisane, przysłowia krążyły w formie ustnej i były przekazywane z pokolenia na pokolenie. To króciutkie teksty, często rymowane, zawierające jakąś życiową mądrość, przedstawioną w obrazowy sposób. Kiedy słyszymy: Dobra żona tym się chlubi, że gotuje, co mąż lubi, bez trudu wyobrażamy sobie uśmiechniętą panią domu serwującą mężowi ulubione zrazy z kapustą. To powiedzenie ukazuje nam, jaka powinna być dobra żona. Przysłowia znane są od najdawniejszych czasów. Pozwalają zrozumieć naszych przodków, poznać ich sposób myślenia, zwyczaje i upodobania. Podpowiadają, co jest godne pochwały, a co naganne; w jaki sposób należy postąpić w określonej sytuacji; jakie kroki podjąć, aby być szczęśliwym, bogatym, zdrowym, cieszyć się szacunkiem innych. Możemy po nie sięgnąć, aby kogoś pocieszyć, poradzić mu, jak powinien się zachować, wyjaśnić sytuację. Gdy brakuje nam słów, przysłowie może posłużyć jako argument w dyskusji. Dzięki temu zabłyśniemy wiedzą, ale nie wyjdziemy na zarozumialca, bo przysłowia to wspólna mądrość wielu pokoleń.

Aby poznać człowieka,
trzeba zjeść z nim beczkę soli

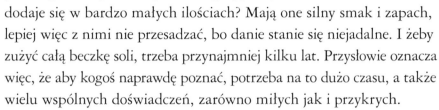

Pewnie niejeden raz pomagaliście mamie czy tacie w kuchni. Przyrządzanie posiłków jest często pracochłonne, ale można się przy tym świetnie bawić. Robienie jajecznicy czy przygotowywanie kolorowych kanapek z buzią z pomidorka bywa równie zajmujące jak budowanie z klocków. A przyprawianie potraw? To dopiero ciekawe! Szczypta pieprzu, soli, kilka ziarenek ziela angielskiego… Czy zauważyliście, że przyprawy dodaje się w bardzo małych ilościach? Mają one silny smak i zapach, lepiej więc z nimi nie przesadzać, bo danie stanie się niejadalne. I żeby zużyć całą beczkę soli, trzeba przynajmniej kilku lat. Przysłowie oznacza więc, że aby kogoś naprawdę poznać, potrzeba na to dużo czasu, a także wielu wspólnych doświadczeń, zarówno miłych jak i przykrych.

Apetyt rośnie w miarę jedzenia

Źródłem tego powiedzenia jest, oczywiście, posiłek. Ale stosujemy je w różnych sytuacjach. Marcin znalazł na plaży mały bursztyn. Lubił go oglądać pod światło i wyobrażać sobie, jak z kropli żywicy zmieniał się w twardy kamyk. Dlatego bardzo się ucieszył, kiedy podczas spaceru po plaży wypatrzył kolejny bursztyn ukryty pod wodorostami. Pomyślał wówczas, że cudownie byłoby mieć całą kolekcję. Odtąd uważnie się rozglądał, by nie przegapić żadnego cennego kamyka. Matylda miała długie włosy. Nosiła je rozpuszczone, z niebieską opaską nad czołem. Sama nie wiedziała, jak to się stało, kiedy kupowanie opasek zmieniło się w pasję. Zachowanie Marcina i Matyldy możemy skomentować przysłowiem: Apetyt rośnie w miarę jedzenia.

Bez pracy nie ma kołaczy

Kto z was był na weselnym przyjęciu? To szczególna uroczystość, podczas której zaproszonym gościom podaje się pyszne wypieki. Dawniej najważniejszym z nich był weselny kołacz – wielkie ciasto pieczone specjalnie na tę okazję. Do wypieku kołacza potrzeba wielu składników i kilku godzin pracy. Tradycja nakazywała, aby każdy z gości go skosztował. Był on wyrazem dobrobytu, który można osiągnąć wytrwałą pracą. Jednym słowem, kołacz to coś ekstra, nie takie sobie zwykłe ciasto. Hm, to tak, jakby porównać samochód zbudowany z klocków z wyścigówką albo szmacianą lalkę z taką, która zamyka oczy i śpiewa lub płacze. Jeżeli mówimy: Bez pracy nie ma kołaczy, to uważamy, że aby coś osiągnąć, trzeba wytrwale pracować.

Błądzić jest rzeczą ludzką

Każdy z nas chciałby wszystko robić dobrze i w ogóle się nie mylić. Ale człowiek jest istotą omylną i popełnia błędy. Zazwyczaj jednak uczy się na nich, czyli stara się ich nie powtarzać, tylko wyciągać wnioski na przyszłość i zapamiętać naukę, jaka z nich wypływa. Od dwóch tygodni Kasia uczęszczała do czwartej klasy. Miała lekcje z wieloma nowymi nauczycielami. Kiedy pani od polskiego zapowiedziała pierwszy sprawdzian, Kasia postanowiła, że przygotuje się do niego dzień wcześniej, żeby niczego nie zapomnieć. Ale okazało się, że materiału było tak dużo, że nie zdążyła wszystkiego przyswoić. Ocena nie zachwyciła ani dziewczynki, ani pani. Kasia, bogatsza o to doświadczenie, do następnego sprawdzianu zaczęła uczyć się znacznie wcześniej. Przysłowie o błądzeniu jest wyrazem zrozumienia dla niedoskonałości człowieka.

Cicha woda brzegi rwie

Ludzie mają różne temperamenty i w rozmaity sposób wyrażają swoje uczucia. Maciek mówi głośno i żywo gestykuluje. Monika jest bardzo nieśmiała, nigdy nie zabiera głosu, a na klasowych zabawach zawsze siedzi w kąciku, przyglądając się tańczącym koleżankom i kolegom. Z kolei Paweł to spokojny, opanowany chłopiec, którego trudno wyprowadzić z równowagi. Kiedy Zuzię coś zadziwi, zaczyna podskakiwać i klaskać. Każdy z nas jest inny i inaczej reaguje na to, co się wokół niego dzieje. Jeśli Monika nagle wyjdzie ze swojego kącika i bez skrępowania odtańczy najnowszy układ szkolnych cheerleaderek, to będziemy bardzo zdziwieni. Wtedy możemy powiedzieć: Cicha woda brzegi rwie. To oznacza, że ktoś z natury spokojny zaskoczył nas odmiennym od dotychczasowego zachowaniem.

Cierp, ciało, kiedyś chciało

Małgosia ma piękne długie włosy. Codziennie rano mama czesze je i starannie zaplata w warkocze lub związuje w koński ogon. Za każdym razem, gdy dziewczynka popiskuje, mama powtarza: Cierp, ciało, kiedyś chciało. To oznacza, że Małgosia sama zadecydowała, że będzie miała długie włosy i teraz musi ponosić konsekwencje swojego wyboru. Pani Róża zawsze chce być elegancka i dlatego nosi mało wygodne szpilki. W połowie dnia dyskretnie zsuwa je pod biurkiem ze stóp, aby dać odpocząć nogom. Przysłowie przypomina, że to my sami podejmujemy decyzje. Ale uświadamia też, że możemy je zmienić, wybierając wygodę zamiast pięknego wyglądu czy elegancji.

Co człowiek, to zdanie

Marysia uważa, że zielony to najładniejszy kolor, a Magda zdecydowanie woli różowy. Kinga lubi jeździć na łyżworolkach, zaś Michał grać w koszykówkę. Mama uwielbia zimne buraczki z cebulką, a tata jada tylko takie na gorąco. Krysia i Kasia noszą spódnice, ale Krysia długie, a Kasia mini. Każdy ma swój gust, swoje upodobania, własną opinię na jakiś temat. I trudno jest znaleźć rozwiązanie, które zadowoliłoby wszystkich. Kiedy wychowawczyni pyta klasę: „Jakie zwierzątko dziś narysujemy?", zazwyczaj pada kilkanaście propozycji. Monika chce malować rybki, Paweł – motyla, Maciej – słonia, Weronika – kaczuszki... Cóż, co człowiek, to zdanie...

Co dwie głowy, to nie jedna

O kimś, kto jest mądry, mówimy, że ma dużo rozumu, a o człowieku głupim – że ma go za mało. Gdy nad jakimś problemem pracują dwie osoby, zwiększa się szansa, że szybciej i lepiej go rozwiążą. Maciek ma do wykonania trudne zadanie – naprawić komputer, który sam się wyłącza. Chłopiec rozkręca komputer i sprawdza, czy wszystko jest dobrze przymocowane. Poprawia poluzowany kabelek. Niestety, to nie wystarcza i trzeba szukać dalej. Na szczęście przychodzi Franek, kolega Maćka. Razem zastanawiają się, w jaki sposób uruchomić sprzęt. Dzielą się swoją wiedzą i w trakcie dyskusji dochodzą do wniosku, co trzeba zrobić. I... hurra! Komputer działa. Nie ma to jak współpraca. W takiej sytuacji sprawdza się przysłowie, które oznacza, że dwie osoby mogą zdziałać więcej niż jedna.

Co jednemu pomaga,
to drugiemu szkodzi

Każdego wieczoru Kasia z wielką przyjemnością wypija kubek ciepłego mleka. Z kolei Magda nie może zjeść nawet kosteczki mlecznej czekolady, bo od razu boli ją brzuch. Mleko ją uczula i musi uważać na to, co je. Czy zatem mleko jest zdrowe czy niezdrowe? To zależy dla kogo, ponieważ, jak mówi przysłowie: Co jednemu pomaga, to drugiemu szkodzi. Oznacza to, że nasze organizmy, choć bardzo podobne, różnią się od siebie. Dlatego nie można wszystkich traktować jednakowo. Należy dostosować np. jedzenie, lekarstwa czy zajęcia gimnastyczne do indywidualnych potrzeb i możliwości.

Co kraj, to obyczaj

Studiując mapę świata, z łatwością zauważycie, że na większości kontynentów znajduje się wiele państw. Różnią się one nie tylko wielkością, ale także ukształtowaniem terenu, obecnością lub brakiem gór, rzek czy lasów. W każdym z nich panują odmienne obyczaje. Na przykład na Sycylii panna młoda jedzie do ślubu na osiołku, zaś u nas najchętniej luksusowym samochodem. W Polsce w okresie żałoby wkłada się czarny strój, w Chinach fioletowy, a w Indiach – biały. Obyczaje kulinarne też bywają różne. We Francji smakołykiem są ślimaki i żaby. Będąc w Czechach, trzeba koniecznie zjeść knedliczki, a w Turcji na deser dostaje się słodką chałwę. Każdy kraj ma swoją tradycję, kulturę i obyczaje, które powinniśmy uszanować, nawet jeśli wydają nam się dziwne albo śmieszne.

Co masz zrobić jutro,
zrób dziś

Plany mniej lub bardziej odległe mają wszyscy. Mama po przyjściu
z pracy postanawia przejrzeć szuflady w biurku i wyrzucić niepo-
trzebne rzeczy. Tata chce przeznaczyć popołudnie na naoliwienie roweru i zmianę łańcucha. Kajtek zadecydował, że po odrobieniu lekcji
posegreguje znaczki, które otrzymał na imieniny. Kiedy zaplanowane
na przykład na poniedziałek czynności wykonamy szybciej, to możemy wykorzystać czas na zrobienie czegoś, co było przewidziane
na wtorek. I wtedy we wtorek będziemy zajmować się wyłącznie
tym, co sprawia nam przyjemność.

Co nagle, to po diable

Robić coś nagle oznacza robić to szybko. A pośpiech nie zawsze jest
wskazany. Spiesząc się, można założyć dwa różne buty i wówczas
trzeba wrócić do domu. Jeśli, odrabiając zadanie domowe, nie prze-
czytamy dokładnie polecenia, to może się okazać, że pracę trzeba
będzie wykonać jeszcze raz. W środę mama miała pójść na zebranie
do szkoły. Postanowiła przygotować szybki obiad – racuszki zamiast
kotletów, aby przed wywiadówką odwiedzić koleżankę. W pośpiechu
przewróciła miskę z ciastem na racuszki i musiała umyć podłogę
w kuchni. Ledwie zdążyła na zebranie. W takiej sytuacji mówimy:
Co nagle, to po diable. Po diable, czyli źle. Gdy ktoś znajomy bardzo
się spieszy, możemy mu przypomnieć, że pośpiech nie zawsze przybliża
nas do celu. Czasem, zamiast zyskać na czasie, tracimy go.

Co za dużo, to niezdrowo

Czy wiecie, co to jest umiar? To zachowanie równowagi. I nie chodzi tu o ćwiczenia na równoważni, ale o równowagę w działaniu, w wyrażaniu swoich emocji. Monika bardzo lubi lalki. Ma ich całe mnóstwo, ale wciąż prosi o następne. Już się nawet nimi nie bawi. Na półkach, szafie, biurku, łóżku, nawet na podłodze – wszędzie leżą lub siedzą jej lalki. Bartek, za każdym razem, gdy idzie do babci, przejada się pączkami i boli go brzuch. Zarówno w jednej, jak i w drugiej sytuacji możemy powiedzieć: Co za dużo, to niezdrowo. W ten sposób przestrzegamy przed wszelkim nadmiarem i przypominamy o konieczności zachowania równowagi.

Cudze chwalicie, swego nie znacie

Czy wiecie, ile jest w Polsce fantastycznych zakątków oraz zabytków? Albo jak piękne są nasze lasy i jak wspaniałą biżuterię wytwarzają gdańscy bursztyniarze? Oczywiście, że tak! Na pewno słyszeliście także, że w Biskupinie znajduje się najbardziej znany w Europie Środkowej rezerwat archeologiczny. Okolice Białowieży to matecznik żubrów, a zakola Bugu są rajem dla ptactwa. Ale to, że wiecie jak piękna jest Polska, nie oznacza, że nie macie podziwiać Alp w Austrii czy uroków Chorwacji. Nie brakuje jednak ludzi, którzy nie uznają niczego, co polskie, i chwalą tylko to, co pochodzi z zagranicy. Nie chcą zauważyć, że w naszym kraju także można podziwiać piękne pejzaże czy kunsztownie wykonane przedmioty. I do takich właśnie osób warto kierować to przysłowie, by uświadomić im, że to, czym zachwycają się gdzieś daleko, niejednokrotnie jest dostępne na wyciągnięcie dłoni.

Czas leczy rany

Czy czas jest lekarstwem lub lekarzem? Może być i jednym, i drugim.
Kiedy przytrafi nam się coś przykrego, jest nam smutno, niekiedy
płaczemy. Ale im więcej czasu upływa od tego zdarzenia, tym mniej
bolesne jest jego wspomnienie i mniej cierpimy. Agata przez wiele lat
miała kota o imieniu Bonifacy. Kiedy Bonifacy zachorował i wetery-
narzowi nic udało się go wylcczyć, dzicwczynka była bardzo nieszczę-
śliwa, nie mogła nawet patrzeć na jego zdjęcie. Ale z upływem czasu
smutek zmalał, aż w końcu minął, a pozostało wspomnienie o kotku,
który lubił się bawić. Po jakimś czasie Agata dostała nowego mruczą-
cego przyjaciela. Nigdy jednak nie zapomniała o Bonifacym. Taką
sytuację możemy skomentować przysłowiem: Czas leczy rany.

Czego Jaś się nie nauczy,
tego Jan nie będzie umiał

Przysłowie mówi o tym, że warto zdobywać umiejętności i wiedzę
od najwcześniejszych lat, aby w dorosłym życiu móc z nich korzystać.
Dzieci szybko się uczą i łatwo zapamiętują nowe dla nich rzeczy.
Ale nie zawsze chcą liczyć, pisać czy… szyć. Jeśli ktoś nie uważał
na lekcji matematyki, to ma problem z liczeniem pieniędzy w sklepie.
A jeśli jakieś dziecko zamiast uszyć ubranko dla lalki czy misia,
prosiło zawsze, by babcia je w tym wyręczyła, to nie potrafi zaszyć
rozdartych spodni czy zacerować dziurawej skarpetki. Staś przygarnął
kotka z ulicy i znalazł mu opiekuna. Nauczył się wówczas odpowie-
dzialności i już jako Stanisław dba o swoich pracowników. Marta
opiekowała się klasowymi kwiatami, a dziś świetnie sobie radzi,
prowadząc kwiaciarnię. Tak właśnie nabyte w dzieciństwie
umiejętności pomagają nam w dorosłym życiu.

Czym skorupka za młodu nasiąknie, tym na starość trąci

Dziadek na pożegnanie szarmancko całuje w rękę koleżankę babci i pomaga jej włożyć płaszcz. W tramwaju pan Maciek ustępuje miejsca starszej pani, bo tego nauczyli go rodzice, gdy był jeszcze dzieckiem. Zaś pan Mikołaj, zdrowy i silny trzydziestolatek, odwraca głowę, udając, że nie widzi stojącej obok siebie kobiety w ciąży. Pani Zosia pomaga pokonać schody chłopcu, który chodzi o kulach. Mały Tomek zobaczył, że po wyjściu z tramwaju jego mama wyrzuca niepotrzebny już bilet na chodnik. Jak widzicie, zachowania dziadka, pana Maćka i pani Zosi warto naśladować, ale z pana Mikołaja i mamy Tomka nie należy brać przykładu. Do wszystkich tych sytuacji możemy zastosować przysłowie: Czym skorupka za młodu nasiąknie, tym na starość trąci, co oznacza, że zachowania wyuczone w dzieciństwie pozostają w nas na całe życie. Zarówno te dobre, jak i te złe.

Darowanemu koniowi nie zagląda się w zęby

Zanim powstał pierwszy samochód, koń był najważniejszym środkiem transportu. Podróżowano na jego grzbiecie, zaprzęgano go do dwukółki, karocy, a czasami do zwykłej furmanki. Końmi handlowano na specjalnych targach. Każdy chciał kupić młode i zdrowe zwierzę, żeby mu długo służyło, bo był to nie lada wydatek. Potencjalny kupiec bardzo dokładnie oglądał konia, zwłaszcza jego zęby, bo po nich rozpoznawano wiek i stan zdrowia zwierzęcia. Ale jeśli otrzymywało się konia w podarunku, tak wnikliwa ocena nie była potrzebna. Przysłowie oznacza, że jeśli coś od kogoś dostajemy, to nie powinniśmy wybrzydzać i marudzić, tylko przyjąć prezent i podziękować.

Dla chcącego nic trudnego

Po powrocie do domu Janka nie miała ochoty nawet grać na komputerze. Bo na następną lekcję techniki trzeba własnoręcznie uszyć torebkę na przybory do malowania: pędzle, kubeczek i farbki. Jak się do tego zabrać? Na szafce w kuchni zobaczyła przyklejoną kartkę z napisem: „Dla chcącego nic trudnego". To zachęta mamy dla brata Janki, Maćka, który uczy się tabliczki mnożenia. „Szycie nie może być trudniejsze od matematyki" – myśli Janka i zaczyna pracę. Doświadczenie Janki uczy nas, że gdy się postaramy, jesteśmy w stanie wykonać czynności, które wydawały się nam nieosiągalne. Najważniejsze jest, abyśmy wzbudzili w sobie pragnienie, chęć działania, a wtedy własne możliwości nas samych zaskoczą!

Dla każdej matki
miłe jej dziatki

Monika wylała zupę, brudząc wyjściową sukienkę mamy. Mama była zmartwiona, ale wybaczyła córce. Karol zepsuł mikser, bo próbował przerobić papier na masę papierową, a Kostek brzydko się do mamy odezwał, gdy zwróciła mu uwagę, że za długo siedzi przy komputerze. Im także mama wybaczyła. Bo mama, niezależnie od tego, co złego zrobią jej dzieci, zawsze będzie je kochać. Jej oczy rozjaśniają się, gdy patrzy na swoje dziecko, promienieje szczęściem, gdy może z nim rozmawiać, śmiać się, spacerować. To bardzo stare przysłowie nie jest zachętą, aby postępować źle, bo nie można nadużywać dobroci i cierpliwości innych. Uświadamia ono ogrom matczynej miłości, która nie żąda nic w zamian, jest bezinteresowna i zawsze wybacza.

Do odważnych świat należy

To przysłowie oznacza, że ten, kto podejmuje wyzwania, ma szanse zrealizować swój cel. Kto zaś siedzi cicho, zazwyczaj pozostaje niezauważony. Odwlekanie decyzji, długie wahanie mogą sprawić, że ominie nas dobra okazja i zostaniemy z niczym. Pani od biologii ogłosiła, że finaliści konkursu przyrodniczego w nagrodę pojadą na wycieczkę do największego europejskiego zoo. Władek nie wahał się ani chwili i natychmiast się zgłosił. Andrzej pomyślał, że jest jeszcze tydzień na zgłoszenie, więc się zastanowi. Ale podjęcie decyzji zajęło mu więcej czasu, a kiedy się zdecydował, lista była już zamknięta. Władek nie zdobył głównej nagrody, ale zajął trzecie miejsce i otrzymał półroczny karnet do miejscowego zoo. Andrzej bardzo mu tego zazdrościł.

Do trzech razy sztuka

Chcąc się czegoś nauczyć, należy uzbroić się w cierpliwość.
Czy malowaliście kiedyś wielkanocne pisanki za pomocą wosku?
To trudne, prawda? Czasem kropla wosku spada na jajko i zamiast równej kreseczki wychodzi brzydka plama. A niekiedy, gdy za długo trzyma się rysik w powietrzu, nie udaje się zrobić żadnej kreski, bo wosk zastyga. W dodatku rozpuszczony wosk jest gorący i trzeba uważać, żeby się nie oparzyć. Pierwsze jajko to zazwyczaj niezdarne bazgroły, na drugim kreseczki są jeszcze krzywe, ale coraz zgrabniejsze. A trzecie? Trzecie to już prawdziwa pisanka – kreski leżą równo obok siebie, tworząc piękne wzory. Do trzech razy sztuka! Przysłowie to oznacza, że nie należy się zniechęcać, gdy coś nie wychodzi za pierwszym razem. Trzeba próbować dalej!

Dobry kucharz – dobry lekarz

Czy wiecie, ile witamin i minerałów potrzebuje organizm, by prawidłowo się rozwijać i mieć odpowiednią ilość energii? Bardzo wiele. Witaminy i minerały znajdują się w pożywieniu. Jaja i ryby są źródłem witaminy A, która świetnie wpływa na wzrok, a świeże warzywa i owoce – witaminy C podnoszącej odporność. Aby nasza krew była zdrowa, musimy zaopatrzyć się w żelazo. Ale nie gotujemy w tym celu zupy z gwoździa, tylko zjadamy natkę pietruszki, wątróbkę czy kaszę gryczaną. Dobry kucharz umie tak skomponować posiłki, aby dostarczyć organizmowi potrzebnych witamin i minerałów. Przysłowie: Dobry kucharz – dobry lekarz oznacza, że prawidłowy posiłek działa jak lekarstwo. Przypomina też jak ważne jest to, by zdrowo się odżywiać. Wówczas lekarz nie będzie potrzebny.

Dobry zwyczaj – nie pożyczaj

Zuzia pożyczyła Oli swoją ulubioną książkę z bajkami, ale tylko na jeden dzień, bo na dłużej nie chciała się z nią rozstawać. Ola oddała książkę poplamioną i z pozaginanymi rogami. I nawet nie przeprosiła! Z kolei Staszek pożyczył od Piotrka pięć złotych. I codziennie, widząc kolegę, mówi: „Oddam jutro”. Wciąż jakoś nie oddaje... Nic dziwnego, że po takich doświadczeniach Zuzia i Staszek mówią: Dobry zwyczaj – nie pożyczaj. Chcą przez to powiedzieć, że pożyczanie rzeczy czy pieniędzy może mieć przykre konsekwencje i lepiej tego nie robić.

Dobry żart tynfa wart

Przysłowie powstało w bardzo dawnych czasach. Tynf to srebrna moneta bita w XVII wieku. Za tynfa można było kupić na przykład… kurę! I w dodatku taką, która znosiła jajka! Żart wart tynfa to żart zasługujący na zapłatę – czyli taki, który rozśmieszy, rozbawi, poprawi nastrój, a więc jest cenny i wartościowy. Kiedy się śmiejemy, czujemy się szczęśliwi, a gdy jesteśmy szczęśliwi, stajemy się lepsi dla innych ludzi. A radość i dobro są bezcenne.

Dobrymi chęciami piekło jest wybrukowane

To bardzo stare przysłowie oznacza, że aby osiągnąć jakiś cel, nie wystarczy tylko chcieć, trzeba także działać. Jeśli Magda chce mieć szóstkę z przyrody, nie wystarczy, że będzie o tym mówić. Musi zacząć się uczyć, wykonywać dodatkowe ćwiczenia i wziąć udział w konkursie przyrodniczym. Jeżeli tata zamierza wystartować w maratonie, to powinien codziennie trenować. Sam zapał nie wystarczy! Gdy ktoś ogranicza się do planowania i nie podejmuje żadnych działań, wtedy można powiedzieć: Dobrymi chęciami piekło brukują, co oznacza, że nawet najlepsze zamiary to stanowczo za mało, by osiągnąć cel.

Dzieci i ryby głosu nie mają

Czy lubicie oglądać rybki w akwarium? Jak tam jest kolorowo – tęczowe gupiki, pręgowane żałobniczki, pomarańczowe cierniki, czarne molinezje, brązowo-żółte glonojady, błyszczące niebiesko--czerwone neonki… Ganiają się w wodzie, zaczepiają, tańczą wokół siebie, aż chciałoby się usłyszeć, co mają do powiedzenia. Ale ryby nie mówią. Nic, nigdy i do nikogo. I dlatego nie przeszkadzają w rozmowie. Dorośli, którzy nie lubią, aby dzieci zabierały głos w dyskusji, krótko ucinają takie próby przysłowiem: Dzieci i ryby głosu nie mają. To znaczy, że opinia dziecka nie jest dla nich ważna i nie biorą jej pod uwagę.

Fortuna kołem się toczy

Czy wiecie, co oznacza słowo „fortuna"? W mitologii greckiej Fortuna była boginią odpowiedzialną za ludzki los. Najczęściej przedstawiano ją jako kobietę z przewiązanymi oczyma toczącą koło. Dlaczego właśnie tak? Ponieważ Fortuna nie kierowała się żadnymi racjonalnymi powodami wybierając ludzi, których chciała obdarzyć szczęściem, tylko robiła to na oślep. I również dlatego trzyma koło, w którym nie ma lepszego czy gorszego miejsca. Wszystkie części koła są jednakowe, ponieważ każda z nich raz jest na górze, a raz na dole. Przysłowie: Fortuna kołem się toczy oznacza, że życie człowieka jest splotem szczęśliwych i przykrych wydarzeń.

Gdy kota nie ma, myszy harcują

Czy wiecie, że w dawnych czasach koty trzymano w gospodarstwie tylko po to, by polowały na myszy? W domu, w którym brakowało kota, myszy niczego się nie bały i spokojnie wędrowały po wszystkich pokojach. To znaczy, że nie było nikogo, kto mógłby zrobić z nimi porządek. Jeśli Piotrek i Marcin zostają sami w domu i spędzają czas, grając na komputerze o wiele dłużej, niż pozwolili im na to rodzice, to można wówczas powiedzieć: Gdy kota nie ma, myszy harcują. To oznacza, że chłopcy zostali bez kurateli, bez dozoru kogoś, kto pilnuje porządku, i robią to, co się im podoba.

Gdy się człowiek śpieszy, to się diabeł cieszy

Domyślacie się, czym zajmował się diabeł według ludowej tradycji? Robieniem psikusów i dokuczaniem. Zacierał ręce, gdy człowiekowi coś nie wychodziło. A czy może udać się coś, co robi się w pośpiechu? Kiedy na przykład mama za wcześnie wyjmie z piekarnika ciasto, to wyjdzie zakalec, a jeśli szybko odrabiamy zadanie domowe, popełniamy wiele błędów. Jednym słowem, gdy człowiek się śpieszy, nic dobrego z tego nie wychodzi. I wówczas diabeł się cieszy, bo jest szansa, że przez pośpiech wszystko będzie nie tak, jak trzeba.

Gdyby kózka nie skakała, toby nóżki nie złamała

Czy obserwowaliście kiedyś zachowanie kózki? Biega, skacze, wspina się, gdzie tylko może, jest bardzo ciekawska i wszędzie zagląda. Ryzykuje, że ktoś da jej po nosie lub że się poślizgnie i złamie nóżkę. Kiedy Maciek jeździ na rolkach bez kasku i ochraniaczy, a jego starszy brat Marck, wchodząc do autobusu, nie kasuje biletu, także ryzykują. Maciek może się poobijać, a Marek – zapłacić karę za jazdę na gapę. Dobrą ilustracją tych zdarzeń jest przysłowie, które podkreśla, że ktoś zrobił coś lekkomyślnie i teraz ponosi konsekwencje swojego postępowania.

Gdzie drwa rąbią, tam wióry lecą

Czyżby przysłowie adresowane było do… drwali? Oczywiście, że nie. Oznacza ono, że każdej czynności mogą towarzyszyć skutki uboczne. Hania uwielbia malować farbami, ale zawsze przy tym się brudzi i zostawia barwne ślady na biurku. Z kolei Michał wytrwale skleja modele samolotów, ale czasami, gdy nie uważa, zlepiają mu się palce czy włosy. Plamy na biurku lub zabrudzone od kleju ubranie to skutki uboczne czynności, które wykonują. Takie sytuacje możemy żartobliwie skomentować: Gdzie drwa rąbią, tam wióry lecą.

Gdzie dwóch się bije, tam trzeci korzysta

Na podwórku dwóch chłopców biło się o znalezioną piłeczkę kauczukową. Nie zauważyli nawet, kiedy przyszedł ich kolega, wziął piłkę i odszedł, gwiżdżąc. W sklepie odzieżowym dwie panie pokłóciły się, która z nich ma kupić ostatnią bluzkę w czerwone maki. Podczas gdy klientki się spierały, zjawiła się trzecia kobieta, której bluzka tak się spodobała, że od razu zapłaciła za nią kasjerce i odeszła bardzo zadowolona. Tam, gdzie dwie osoby toczą spór, może pojawić się trzecia, która skorzysta z nadarzającej się okazji.

Gdzie kucharek sześć, tam nie ma co jeść

W kuchni powinna rządzić jedna osoba. Jeśli jest ich więcej i każda przygotowuje danie po swojemu, szybko może się okazać, że z obiadu nici. Wyobraźcie sobie, że w jadłospisie szkolnej stołówki widnieje zupa pomidorowa oraz klopsiki z ziemniakami i białą kapustą. Jedna kucharka przygotowuje zupę, druga klopsiki, a trzecia szatkuje kapustę. Czwarta doprawia zupę przecierem pomidorowym i cukrem, piąta dodaje śmietanę, sól, pieprz i jeszcze trochę cukru. Szósta soli mięso na klopsiki, doprawione wcześniej przez drugą kucharkę. Ale żadna z nich nie pamięta o ziemniakach. W efekcie wszystko jest kilkakrotnie przyprawione, smaki pomieszane i obiad nadaje się do wyrzucenia. Dlatego właśnie mówi się: Gdzie kucharek sześć, tam nie co jeść. Ale gdy jest jedna kucharka, która dyryguje, i pięciu kuchcików, to pyszny obiad powstaje w okamgnieniu.

I wilk syty, i owca cała

Czy wiecie, dlaczego wilk i owca pojawiły się obok siebie w tym powiedzeniu? Łączy je pewien rodzaj zależności. Otóż wilki porywają owce, by się nimi pożywić. A owce są cennymi zwierzętami, które dostarczają wełny, mleka, skór i mięsa, więc ludzie starają się je chronić. W przysłowiu owca stała się znakiem czegoś wartościowego, czego człowiek strzeże przed innymi. Monika dostała od cioci wielkie pudełko czekoladek i nie chce się nimi z nikim dzielić. Kiedy przychodzi do niej Ola, Monika czuje się zakłopotana, ponieważ z jednej strony chciałaby poczęstować czymś koleżankę, ale z drugiej nie chce jej dać czekoladek od cioci. I znajduje rozwiązanie, podaje Oli miseczkę z lukrowanymi orzeszkami. I wilk syty, i owca cała – obie dziewczynki są zadowolone i wspólnie się bawią.

Idzie luty – podkuj buty

Czy wiecie, skąd wzięła się nazwa tego miesiąca? Od bardzo srogich mrozów panujących w lutym. Wasze prababcie mówiły, że jest luto, czyli mroźnie. Podczas tęgiego mrozu, wszystko zamarzało. Wówczas łatwo można było się poślizgnąć i złamać rękę czy nogę. Aby buty się nie ślizgały i były cięższe, zabezpieczano je specjalną metalową podkuwką. Przysłowie miało przypominać o tym, że aby cało i zdrowo przetrwać mroźne dni, trzeba się dobrze przygotować. Dziś, kiedy nie ma aż tak srogich zim, wystarczą ciepłe buty na odpowiedniej podeszwie. Ale jeśli kolega poślizgnie się w adidasach na zamarzniętej kałuży, wtedy możecie zacytować to przysłowie, by przypomnieć, że zimą należy nosić właściwe obuwie.

Jajko mądrzejsze od kury

Co było na początku – jajko czy kura? Chyba nikt nie zna odpowiedzi na to pytanie. Gdy z jajek wyklują się kurczęta, mama kura uczy je wszystkiego. Pokazuje, jak grzebać pazurami w ziemi, by znaleźć robaka, które ziarenka są jadalne i gdzie rośnie najbardziej soczysta trawa. Tak samo nasze mamy uczą nas, co jest dobre, a co nie, jak powinniśmy się zachowywać, czego nie powinniśmy robić. Ale czasem zdarza się, że ktoś, kto jeszcze nie-wiele wie, zachowuje się przemądrzale w obecności kogoś bardziej doświadczonego i mądrzejszego. Wtedy może usły-szeć komentarz: Jajko mądrzejsze od kury. I bynajmniej nie jest to komplement!

Jak cię widzą, tak cię piszą

Niektórzy ludzie nie dbają o higienę. Na myśl o codziennej kąpieli, szorowaniu uszu i szyi albo czyszczeniu paznokci, kręcą głową lub lekceważąco wzruszają ramionami. Czasami widać takie osoby na ulicy czy w szkole. Pan w poplamionej marynarce i wymiętych spodniach sprawia wrażenie, jakby zapomniał się przebrać. Pani z potarganą fryzurą i brudnymi dłońmi nie wzbudza zaufania i nikt nie ma ochoty siedzieć obok niej w autobusie. Tak to już jest, że człowiek niedomyty, zaniedbany, chodzący w brudnych rzeczach, nie robi dobrego wrażenia. Oceniamy go na podstawie wyglądu. To właśnie oznacza powiedzenie: Jak cię widzą, tak cię piszą.

Jak sobie pościelesz,
tak się wyśpisz

Nocą na biwaku harcerskim Kasia wierci się na swojej karimacie. Wciąż coś ją uwiera i nie może zasnąć. Za to Ania śpi jak suseł, przytulając buzię do poduszeczki-zwierzątka. Rano drużynowa nie może dobudzić Kasi. „Bardzo tu twardo i niewygodnie" – burczy zaspana dziewczynka. „Jak sobie pościelesz, tak się wyśpisz" – komentuje drużynowa, wyciągając spod jej karimaty długopis, latarkę i beret. To zdarzenie nauczyło Kasię, że należy starannie wykonywać swoje obowiązki, zwłaszcza te wobec siebie, bo rezultaty byle jakiego działania mogą być niemiłym zaskoczeniem. Powiedzenie uczy nas, że jesteśmy odpowiedzialni za swoje czyny i to my będziemy ponosić ich konsekwencje. Jeśli ktoś nie włoży wysiłku w to, co robi, efekt może być żałosny. Czasami trzeba czegoś sobie odmówić lub zmienić plan. Za to, co w życiu osiągniemy, jesteśmy odpowiedzialni my sami, więc naprawdę warto się starać.

Jakie drzewo, taki klin,
jaki ojciec, taki syn

Małe, wycięte z drewna kawałki w kształcie trójkąta nazywamy klinami. W zależności od tego, z jakiego drzewa pochodzą, mogą być mniej lub bardziej wytrzymałe. A jaki to ma związek z ojcem i synem? Już starożytni wiedzieli, że dzieci są podobne do rodziców. I nie chodzi tu tylko o wygląd fizyczny, ale i cechy charakteru. Tata Maćka uwielbia piłkę nożną i zabiera syna na mecze. Maciek z zapałem gra w piłkę na boisku i marzy o tym, żeby zostać piłkarzem. Kiedy Wojtek się denerwuje, bębni palcami w stół – dokładnie tak jak jego tata. Gdy chcemy podkreślić, że dziecko jest podobne do rodzica, wtedy mówimy: Jakie drzewo, taki klin, jaki ojciec, taki syn.

Jedna jaskółka wiosny nie czyni

Jaskółki są najbardziej znanymi zwiastunami wiosny. Przylatują do nas, gdy nadchodzą cieplejsze dni. Czasami jednak zdarza się, że po ich przylocie znów nastają chłody. Kiedy mówimy: Jedna jaskółka wiosny nie czyni – chcemy dać do zrozumienia, że pojawienie się pierwszych oznak jakiegoś wydarzenia nie zawsze zapowiada jego prędkie nadejście. Trzeba więc być cierpliwym, spokojnie czekać i nie podejmować pochopnych decyzji w związku z czymś, czego jeszcze nie ma.

Każda liszka swój ogonek chwali

Czy wiecie, co to takiego liszka? Tak kiedyś nazywano lisicę, czyli żonę lisa. Zwierzęta te mają najczęściej rude futro i wspaniałą, puszystą kitę, którą nakrywają się jak kołderką. Jest ona przedmiotem dumy każdego rudzielca. W dawnych czasach lisia kita była obiektem westchnień wielu eleganckich pań. Noszono ją jak szal lub pelerynę, przy czym każda z modniś uważała, że jej ozdoba jest najładniejsza. I tak powstało powiedzenie: Każda liszka swój ogonek chwali. Oznacza ono, że każdy człowiek uważa, że jego rzeczy są najładniejsze lub że najlepiej potrafi coś zrobić. Kiedy koleżanka przechwala się swoim piórnikiem czy rysunkiem, możesz ostudzić jej zapał do chwalenia się powiedzeniem o liszce.

Każdy święty
ma swoje wykręty

Czy zwróciliście kiedyś uwagę na kościelne witraże? Najczęściej przedstawiają wizerunki świętych w różnych pozach. Święty z oczyma wzniesionymi do góry, patrzący w lewo lub w prawo, z ręką znieruchomiałą w dziwnym geście, z ugiętym kolanem, schylony… Sposób przedstawiania świętego związany był z jego przeżyciami, dlatego każdy z nich ma swoją charakterystyczną pozę. No tak, ale o co chodzi z tym przysłowiem? To proste. Wyobraźcie sobie, że mama każe powtórzyć zadanie z polskiego, a tata nalega, by posprzątać bałagan w pokoju. No i jak reagujecie w pierwszej chwili? Wymyślacie sto powodów, dla których naprawdę nie możecie zrobić tego, o co proszą rodzice. Jednym słowem, wykręcacie się na milion sposobów. I właśnie w takich sytuacjach używa się przysłowia: Każdy święty ma swoje wykręty.

Kłamstwo ma krótkie nogi

Czy wiecie, że to przysłowie było znane już w XIX wieku? Dawno temu, prawda? Już wtedy ludzie wiedzieli, że kłamstwo to brzydka rzecz. Powiedzenie uczy, że nie warto kłamać, bo prawda prędzej czy później i tak wyjdzie na jaw. A wtedy osobie, która skłamała, będzie bardzo wstyd. Lepiej więc pokonać strach i od razu powiedzieć prawdę, niż później wyjść na kłamczucha.

Kot w rękawiczkach myszy nie złowi

Czy to przysłowie ma sens? Przecież koty nie noszą rękawiczek! Za to całymi godzinami polują na myszy i muszą się przy tym nieźle napracować. A człowiek, tak jak kot, żeby osiągnąć cel, musi się starać. Czy lubicie konkursy plastyczne? Monika przygotowała makietę parku. Wodę zrobiła ze srebrnego papieru, a drzewa z wykałaczek oklejonych igłami świerkowymi. Ścieżki wysmarowała klejem i posypała piaskiem – wyglądały jak prawdziwe! Bardzo się napracowała i zdobyła pierwszą nagrodę. Marcin też zrobił makietę: wyciął z kartki drzewa i narysował staw, ale zapomniał o stojącej w parku fontannie i ścieżkach, którymi spacerują ludzie. Nie chciał też ubrudzić sobie rąk klejem. O nagrodzie mógł tylko pomarzyć. Postawę Marcina można skomentować przysłowiem o kocie w rękawiczkach. Bardzo do niego pasuje!

Krowa, która dużo ryczy, mało mleka daje

Krowy to bardzo spokojne zwierzęta. Skubią na łące trawę, potem leżą i całymi godzinami przeżuwają to, co zjadły. Wieczorem gospodarz jest zadowolony z udoju. Kiedy jednak zaczynają zachowywać się niespokojnie, ryczą i dają mniej mleka niż zwykle. Stąd zrodziło się porzekadło, że „krowa, która dużo ryczy, mało mleka daje". Sprawdza się ono także w wypadku ludzi – często okazuje się, że ktoś, kto dużo opowiada o swoich osiągnięciach, podkreśla swoją pracowitość czy szczególne umiejętności, w rzeczywistości niewiele zrobił. Kiedy kolega chwali się, że świetnie gra na gitarze, a tak naprawdę ledwie na niej brzdąka, to możemy go podsumować przysłowiem o ryczącej krowie.

Kto nie ma w głowie,
ten ma w nogach

Mama poszła rano do sklepu. Kupiła chleb, bułki, masło i twarożek. Gdy przekroczyła próg mieszkania, zorientowała się, że zapomniała o mleku. Musiała pójść jeszcze raz. Mateusz wyszedł do szkoły tuż przed ósmą, bardzo się spieszył. Kilka minut później mama usłyszała dzwonek do drzwi. Mateusz zawrócił, bo nie wziął zeszytu do historii. W sytuacji, gdy ktoś o czymś zapomina i musi z tego powodu duuuużo chodzić, mówi się: Kto nie ma w głowie, ten ma w nogach.

Kto pod kim dołki kopie,
sam w nie wpada

Wyobraźcie sobie pana Feliksa, który nocą kopie dziury w ogródku sąsiada i przykrywa je z wierzchu trawą. A potem zaciera ręce na myśl o tym, że jego sąsiad, pan Melchior, wywróci się jak długi, gdy noga wpadnie mu do pułapki. Ale rano do ogrodu pana Melchiora wbiega kotek pana Feliksa. Pan Feliks biegnie, by uratować ulubieńca, bo przecież pan Melchior ma dużego psa! Czy wiecie, co się dzieje? Pan Feliks wpada do własnoręcznie wykopanego dołka i… skręca nogę. Tak dosłownie można by zilustrować przysłowie. Ale przecież nie chodzi w nim o przekopywanie ogródka sąsiada, tylko o to, że jeśli ktoś zamierza zrobić komuś przykrość lub szkodę, sam może jej doznać. Przysłowie to warto przytoczyć koledze szykującemu drugiej osobie brzydkiego psikusa, a także wtedy, gdy psota, której był autorem, obróci się przeciwko niemu.

Kto późno przychodzi,
ten sam sobie szkodzi

Kuba spóźnił się na lekcję języka polskiego. Akurat wtedy pani zaproponowała uczniom lektury na ten rok. Książka, na którą chciał głosować Kuba, nie została wybrana, ponieważ zabrakło jednego głosu. Monika spóźniła się na urodziny koleżanki i nie dostała tortu – był tak pyszny, że zniknął z talerza w ciągu kilku minut. Tata spóźnił się na spotkanie z mamą, która sama wybrała i kupiła nowy telewizor, inny niż chciał tata. Kto późno przychodzi, ten sam sobie szkodzi – powiemy. W ten sposób dajemy do zrozumienia, że spóźnialski zawsze coś traci, bo jako nieobecny nie ma prawa głosu.

Kto pyta,
nie błądzi

Kiedy wybieramy się w nieznane nam bliżej miejsce, nie bardzo wiemy, w którą stronę pójść, żeby trafić tam bezbłędnie. W takich sytuacjach najlepiej spytać kogoś o drogę. Oczywiście, można samodzielnie odnaleźć dane miejsce, ale będzie to trwało znacznie dłużej i niewykluczone, że nadłożymy nawet kilka kilometrów drogi. Przysłowie: Kto pyta, nie błądzi, mówi nam o tym, że dobrze jest radzić się innych i korzystać z czyjejś wiedzy, bo dzięki temu, pracując nad czymś, popełnimy mniej błędów.

Kto rano wstaje,
temu Pan Bóg daje

To bardzo stare przysłowie, znane już w XVII wieku, jest pochwałą tych, którzy potrafią się zmobilizować do wczesnego wstawania. A dlaczego to takie ważne? Bo gdy rozpoczynamy pracę skoro świt, mamy na nią więcej czasu niż ktoś, kto śpi kilka godzin dłużej. A jeśli pracujemy więcej, to więcej zarabiamy i stajemy się bogatsi. Przysłowie zawiera także przeświadczenie, że Pan Bóg lubi ludzi, którzy ciężko pracują i nagradza ich wysiłek. Ania przez cały rok szkolny wstawała o szóstej rano i poświęcała godzinę na przygotowywanie się do konkursów. Dzięki temu została laureatką olimpiady. Jej wysiłek został nagrodzony stypendium naukowym, za które kupiła komputer. Warto było wstawać rano, prawda?

Kwiecień plecień, bo przeplata
trochę zimy, trochę lata

O kwietniu od dawien dawna mówiono, iż jest jednym z najbardziej kapryśnych miesięcy. Przypominał o tym *Kalendarz rolniczo-gospodarski. Liwoczanin* w połowie XIX wieku, w którym po raz pierwszy zapisano to przysłowie. Kwiecień charakteryzuje się dużym zróżnicowaniem temperatur. Jednego dnia mamy piękną, niemal letnią pogodę, zaś drugiego, przenikliwy wiatr i zimne powietrze. Nie wiadomo, czego się spodziewać następnego dnia. Doświadczyła tego Ania, która w pewien kwietniowy wtorek wracała ze szkoły szczelnie owinięta ciepłym szalem, ale już w środę musiała nieść kurtkę w ręku, bo słońce przyjemnie przygrzewało.

Lepszy rydz niż nic

Kosz pełen borowików to marzenie każdego grzybiarza. Dlaczego?
Bo borowik jest królem grzybów i znalezienie go to powód do dumy.
Ale brązowy kapelusz na grubej, jasnej nóżce wcale nie tak łatwo
wypatrzyć w leśnym runie. Czasami po długich poszukiwaniach
zamiast upragnionego borowika trafia się na… rudego rydza!
Ale czy to powód do niezadowolenia? Pewnie, że nie! Bo lepiej
mieć COŚ niż NIC. Dlatego, kiedy na przykład zajmiecie trzecie
miejsce w konkursie, cieszcie się z tego wyniku, mimo że marzyliście
o zdobyciu pierwszego. Bo przecież lepszy rydz niż nic!

Lepszy wróbel w garści
niż gołąb na dachu

Kasia z Magdą stały przed wystawą telefonów komórkowych i oglądały
najnowsze egzemplarze. „Gdybym miała pieniądze, to kupiłabym sobie
ten srebrny z odsuwaną klapką i kwiatkiem ze szkła" – rozmarzyła
się Kasia. „Przecież twój telefon jest bardzo fajny" – powiedziała
Magda. „No… – zreflektowała się Kasia. – Ja tak tylko… Mojej
komórce przecież niczego nie brakuje". „Lepszy wróbel w garści
niż gołąb na dachu. Ciesz się tym, co masz" – powiedziała Magda,
która nie miała swojej komórki. Rzeczy pewne i znane wydają się
nam niekiedy mniej atrakcyjne od tego, co ryzykowne, co trzeba
dopiero zdobyć. A przecież nie zawsze nam się udaje uzyskać wszystko,
czego pragniemy. W dodatku może się okazać, że szary wróbelek
jest bardziej wartościowy niż okazały gołąb. Przysłowie zachęca,
by docenić to, co posiadamy.

Łaska pańska na pstrym koniu jeździ

O pstrych, czyli niejednolicie ubarwionych koniach mówi się, że są humorzaste. Raz łagodne i chętne do współpracy, innym razem narowiste i uparte. Skąd się jednak wzięło to przysłowie? Otóż w dawnych czasach konno jeździli przede wszystkim zamożni ludzie – szlachcice. Do historii przeszli jako ludzie często zmieniający zdanie. W jednej chwili łaskawie obdarowywali podwładnych, by zaraz potem się z tego wycofać. I stąd powstało przysłowie, że łaska pańska na pstrym koniu jeździ. Oznacza ono, że ktoś stojący wyżej w hierarchii społecznej często zmienia zdanie i nigdy nie wiadomo, czy darowana łaska nie przerodzi się w coś przykrego. Warto więc liczyć przede wszystkim na siebie.

Na dwoje babka wróżyła

Niegdyś na wsiach każdą staruszkę nazywano babką lub babcią. Nawet osoby niespokrewnione, zwracały się do starszych kobiet właśnie w taki sposób. Babki były mądre i bardzo chętnie dzieliły się swoją wiedzą z innymi. Czasami wróżyły i przepowiadały przyszłość. Wiedziały, że każde zdarzenie może mieć pozytywne i negatywne skutki. Jeśli ktoś przychodził i pytał, co się stanie w danej sytuacji i jak powinien postąpić, babka przedstawiała mu możliwe rozwiązania. Stąd wzięło się powiedzenie, które oznacza, że nie wiadomo, jak dana sprawa się zakończy, może dobrze, a może źle. Kiedy oglądamy mecz w telewizji i ktoś nas pyta, jaki przewidujemy wynik, możemy odpowiedzieć: Na dwoje babka wróżyła.

Na naukę nigdy nie jest za późno

Dlaczego babcia bierze od mamy przepis na sałatkę z tuńczykiem? A ciocia, chociaż jest starsza od mamy, chodzi od kilku miesięcy na kurs menedżerski? Bo zawsze warto uczyć się czegoś nowego! I wiek nie ma tu nic do rzeczy! Ciocia Wandzia, która ma ponad 70 lat, bierze udział w zajęciach na Uniwersytecie Trzeciego Wieku. Słucha wykładów o literaturze, prawidłowym odżywianiu, technikach relaksacyjnych. Uczy się także rysunku i malowania pastelami oraz farbami olejnymi. Jej prace zdobią ściany mieszkań całej rodziny. Jeśli ktoś mówi, że niczego się już nie nauczy, bo jest za stary, to możemy przypomnieć mu przysłowie: Na naukę nigdy nie jest za późno.

Na złodzieju czapka gore

W dawnych czasach, gdy wybuchał pożar, ludzie ostrzegali się o niebezpieczeństwie, krzycząc co tchu: „Gore! Gore!", i brali nogi za pas. Tylko co odważniejsi biegli do strumyków lub studni po wodę, by ugasić nią ogień. Dziś mało kto używa tego słowa, ale zachowało się ono w przysłowiu o złodzieju. Nie znaczy to, że taka osoba ma na głowie płonącą czapkę, tylko że zrobiła coś złego i nie może tego ukryć, bo zdradza ją zachowanie i mimika twarzy. Maciek stłukł ulubioną filiżankę mamy, którą dostała od taty w pierwszą rocznicę poznania. Gdy mama wróciła z pracy, zauważyła, że syn zachowuje się dziwnie, kręci się po kuchni, pociera nerwowo czoło, tarmosi bluzę. Domyśliła się, że coś się stało. „Na złodzieju czapka gore!" – zagrzmiał tata, który właśnie wyrzucał obierki. I wszystko było już jasne.

Należy wypić piwo,
którego się nawarzyło

Warzyć to po staropolsku gotować. Kiedyś piwo robiono w warzelniach, gdzie gotowano i fermentowano potrzebne składniki. Niektórzy wytwarzali je także w domach. Jeśli było niesmaczne, nikt z gości ani sąsiadów nie chciał go nawet skosztować i gospodarz mógł sam się nim raczyć przez cały rok. Przysłowie nie odnosi się jednak wyłącznie do piwa, ale oznacza, że trzeba ponosić konsekwencje swego postępowania. Wyobraźcie sobie taką sytuację: pod nieobecność mamy Zuzia przymierza jej pantofle, biega w nich i skacze. Jeden obcas się łamie. Dziewczynka zastanawia się, co zrobić, po chwili mówi bratu: „Schowam buty. Może mama nic nie zauważy?". „Nawarzyłaś piwa, to je wypij" – odpowiada Olek. Według niego siostra powinna przyznać się do winy i ponieść konsekwencje. Nawet jeśli mama każe jej za karę codziennie odkurzać salon.

Nie chwal dnia
przed zachodem słońca

Miło jest wieczorem, przyłożywszy głowę do poduszki, pomyśleć sobie: „Jaki wspaniały był ten dzień! Najpierw czwórka z trudnego sprawdzianu z matematyki, potem wyprawa z tatą do sklepu wędkarskiego i jeszcze niespodziewana wizyta ukochanej babci". Czasami jednak zdarza się, że już w południe oznajmiamy radośnie: „Ale fajny dzień!". „Nie chwal dnia przed zachodem słońca" – poucza babcia. Bo jakie było popołudnie? Lepiej nie mówić. Stłuczone kolano na przejażdżce rowerowej, rozdarte spodnie i kłótnia z bratem. Babcia miała rację. Nie należy chwalić niczego przed ukończeniem, ani dnia, ani wykonywanej pracy.

Nie czyń drugiemu, co tobie niemiłe

Wielki filozof i myśliciel Immanuel Kant wyznawał zasadę, że wszyscy ludzie są równi i dlatego należy traktować innych z szacunkiem, tak jak samemu chciałoby się być traktowanym. Czy wyrządzilibyście sobie jakąś krzywdę? Cóż za pytanie? Pewnie, że nie! Więc dlaczego ranić innych? Dlatego, kiedy kusi was, by zrobić koleżance lub koledze jakiegoś nieprzyjemnego psikusa, pomyślcie od razu o sobie – czy byłoby to dla was przyjemne? Jeśli nie, lepiej zrezygnować z takiego pomysłu.

Nie kupuj kota w worku

To przysłowie oznacza, że przed zakupieniem towaru trzeba go bardzo dokładnie obejrzeć. Najlepiej dwa razy! Skąd się ono wzięło? Pierwszy zapis porzekadła pojawił się w Europie w XIII stuleciu, w Polsce zaś trzy wieki później. W tym okresie na terenach północnej Europy kot był rzadkim zwierzęciem. Kto miał go w domu, ten posiadał bogactwo i szczęście. Zdarzało się więc, że na targu, obok kury czy gęsi, czasami można było kupić kota. A że był wtedy bardzo poszukiwany, niekiedy dochodziło do oszustw i zamiast pięknego zwinnego pogromcy gryzoni wkładano do worka starego kocura lub inne zwierzę. Worek trzymano zamknięty, by zwierzątko nie umknęło. Wyobraźcie sobie złość kupującego, gdy po powrocie do domu odkrywał, że sprzedano mu wyliniałego kota, kurę czy nawet psa! Od tamtej pory taki pechowy kupiec uważnie oglądał to, co chciał kupić.

Nie ma dymu bez ognia

Nic nie dzieje się bez przyczyny. Bardzo często jakieś wydarzenie czy sytuację zapowiadają jej oznaki. Na przykład kaszel czy katar mówią o tym, że się przeziębiliśmy i trzeba będzie wybrać się do lekarza. Kiedyś takim wiele mówiącym znakiem był dym. Tam, gdzie się pojawiał, musiał być też ogień, a więc i człowiek. Gdy zmarznięty podróżny wypatrzył go w oddali, cieszył się, że już niedługo trafi do gospody, w której się ogrzeje i coś przekąsi. Jeśli jednak zauważył go w lesie, stawał się ostrożny, bo przy ognisku mogli obozować zbójcy. Widok dymu wywoływał różne odczucia, ale dostarczał tej samej informacji – ogień oznaczał obecność człowieka. Przysłowie: Nie ma dymu bez ognia uczy nas, że za czyimś zachowaniem lub za jakimś zdarzcnicm kryje się coś, czego na pierwszy rzut oka nie widać.

Nie ma tego złego, co by na dobre nie wyszło

Przysłowie to oznacza, że nawet w niekorzystnej czy nieprzyjemnej sytuacji możemy znaleźć jakieś dobre strony. Ania przeziębiła się i musiała kilka dni leżeć w łóżku. W tym czasie przeczytała lekturę, za którą wcześniej nie mogła się zabrać. Z kolei tacie Marka zepsuł się samochód i trzeba go było zostawić u mechanika na cały tydzień. W tym czasie tata chodził do pracy pieszo, ale przymusowy spacer szybko stał się dla niego przyjemnością. I to podwójną, bo mama, zachęcona entuzjazmem taty, zdecydowała się na spacer o poranku. Jak widzicie, nawet z nieprzyjemnego zdarzenia mogą wyniknąć pozytywne skutki.

Nie można dwa razy zrobić pierwszego wrażenia

Kostek i Marcin idą po raz pierwszy z wizytą do nowej cioci. Ich ulubiony wujek Karol ożenił się i zaprosił siostrzeńców na ciasto. Przed wyjściem mama przypomina chłopcom, że nie można dwa razy zrobić pierwszego wrażenia, więc powinni zachowywać się przyzwoicie. Tego powiedzenia możemy użyć także, mówiąc o czymś, co się już zdarzyło. Jeśli chłopcy nabroili i zdenerwowali ciocię, to przysłowie uświadamia im, że nie da się cofnąć czasu i naprawić popełnionego błędu. Można się jedynie postarać, aby o nim zapomniano.

Nie mów hop, póki nie przeskoczysz

To przysłowie ma ostudzić przedwczesną radość osoby, która już cieszy się z czegoś, co będzie miało miejsce w przyszłości. Mama Krysi, obserwując pracę malarza, który remontował pokój, bardzo się cieszyła, że mieszkanie będzie pięknie wyglądało. Tymczasem malarz w ogóle się nie postarał i na ścianach pozostały brzydkie smugi i niedociągnięcia. Czasami ktoś jest zarozumiały, pewny siebie i uważa, że coś musi się skończyć zgodnie z jego przewidywaniami. Maciek przechwalał się przed całą klasą, że napisał świetne wypracowanie, a dostał trójkę. Przysłowie: Nie mów hop, póki nie przeskoczysz, jest doskonałym komentarzem do obu sytuacji.

Nie od razu Kraków zbudowano

Czy wiecie, jak długo powstaje miasto? Całe wieki! Wyjątkiem jest Gdynia, która w kilkanaście lat z wioski rybackiej zmieniła się w nowoczesną, tętniącą życiem nadmorską miejscowość. Marek zaplanował, że zbuduje miasto z klocków – domy, ratusz, plac z fontanną i park z ławeczkami. Po odrobieniu lekcji z zapałem zabrał się do pracy. I chociaż układał klocki do wieczora, nie zdążył zrobić tego, co zamierzał. Musiał iść spać. „Nie od razu Kraków zbudowano" – powiedziała mama. To znaczy, że są takie projekty, których nie można zrealizować od razu, ponieważ wymagają czasu. I trzeba wykazać się cierpliwością, by doprowadzić je do końca.

Nie odwracaj kota ogonem

Jeśli ktoś opowiada o jakimś zdarzeniu, w którym uczestniczyliście, i przekręca fakty, zmienia sens tego, co zostało powiedziane, wówczas możecie użyć tego przysłowia. Znaczy ono: nie gmatwaj, nie zmieniaj sensu wypowiedzi, nie kombinuj! Kiedy ludzie próbują przedstawiać wydarzenia w innym świetle, odwracać od nich uwagę? Ano wtedy, gdy mają coś na sumieniu i chcą to ukryć. Marek i Piotrek jeździli razem rowerami. Po powrocie do domu okazało się, że rower Marka ma pęknięty błotnik. Chłopiec zawile opowiadał mamie, jak doszło do jego uszkodzenia. Piotrek, słuchając go, nie mógł powstrzymać się od śmiechu. Ale na pytanie mamy, co się stało, narysował kota wykręconego ogonem do przodu. Przecież przyrzekł bratu, że nie powie ani słowa!

Nie przesadza się
starych drzew

Na pewno nieraz byliście na spacerze
w lesie lub w parku i widzieliście
ogromne, stare drzewa o bardzo
grubym pniu. Trudno sobie wy-
obrazić, że można byłoby je wyko-
pać i po prostu posadzić w innym
miejscu. Ale młode drzewka przesadza się bez
trudu. Z ludźmi jest tak jak z drzewami. Im są
starsi, tym trudniej znoszą i akceptują zmiany.
Nie lubią zmieniać miejsca zamieszkania, nawet
jeśli ktoś proponuje im coś bardziej wygodnego
i nowoczesnego. Najlepiej czują się u siebie,
w znajomych kątach. W nowym miejscu są
często osowiali, smutni i tracą chęć do życia.

Nie szata zdobi człowieka

Przysłowie to znano już w XVII wieku. Mówiło, że o wartości
człowieka nie decyduje jego strój, tylko cechy charakteru. Powiadano
wówczas: „Szata świetna nie ozdobi złego, a podła nie oszpeci dobrego".
Pod pięknym ubraniem może kryć się brzydki charakter, a pod
skromnym – dobry i szlachetny człowiek. Porzekadło przetrwało
do naszych czasów w nieco krótszej formie, ale nadal znaczy to samo.
Ubranie nic nam nie mówi o wartości człowieka. Marta jest skromnie
ubraną dziewczynką, zawsze chętną do pomocy. Marek przechwala
się markowymi butami, ale nawet palcem nie kiwnie, gdy trzeba
komuś pomóc lub wykonać jakąś pracę w klasie. Takiemu koledze
warto przypomnieć przysłowie o szacie. Na pewno zrozumie! I może
nawet się zawstydzi, bo zarozumialstwo i lenistwo to nic dobrego.

Nie śmiej się, bratku,
z cudzego upadku

Jak myślicie, o czym mówi to przysłowie? O tym, że nie wolno się śmiać z błędów i nieszczęść innych ludzi, ponieważ nie omijają one nikogo. Podczas lekcji wychowania fizycznego Bartek upadł w trakcie kozłowania piłki. Sebastian zwijał się ze śmiechu, ale Bartkowi wcale nie było wesoło, bardzo bolała go noga. Martyna dostała jedynkę z polskiego, bo nie nauczyła się wiersza na pamięć. Sebastian śmiał się, że straszna z niej gapa. Ale wypadek zdarzył się także klasowemu prześmiewcy – stał tak blisko drzwi od klasy, że uderzyły go, gdy ktoś je nagle otworzył. Z rozbitym nosem nie prezentował się najlepiej. „Dlaczego teraz się nie śmiejesz?" – zapytał go Bartek. A Sebastian tylko spuścił głowę. Niezależnie od tego, jaka przykrość kogoś spotyka, nie powinna być przedmiotem śmiechu czy drwiny. Bo nigdy nie wiadomo, co komu się przydarzy.

Nie święci garnki lepią

O świętych myślimy zawsze jako o niezwykłych ludziach posiadających szczególne umiejętności. Często wydaje się nam, że wiele rzeczy osiągalnych jest tylko dla tych, którzy są niezwykli, wyjątkowi. Przysłowie: Nie święci garnki lepią oznacza, że aby czegoś w życiu dokonać, nie trzeba być kimś szczególnym. Każdy z nas może podjąć wyzwanie i zrobić coś, co pozornie wydaje się niemożliwe. Potrzebna jest wiara we własne siły oraz cierpliwość i konsekwencja.

Nie taki diabeł straszny,
jak go malują

Marta od dwóch dni powtarza, że na pewno dostanie jedynkę ze sprawdzianu z przyrody. Jest przekonana, że pani wymyśli jakieś straszne pytania. Mama wie, jak dużo pracy Marta włożyła w naukę. Próbuje ją pocieszać i tłumaczy córce, że niepotrzebnie się boi, bo klasówka wydaje się bardzo trudna, ale wcale taka nie musi być. I rzeczywiście! Kiedy dziewczynka wróciła z piątką, już od progu zawołała, że z tym diabłem to mama miała rację, wcale nie był taki straszny!

Nie wchodzi się dwa razy
do tej samej rzeki

Autorem tego powiedzenia jest filozof grecki Heraklit z Efezu. Głosił on, że wszystko się zmienia i nie trwa w jednej postaci. Na przykład rzeka, której wody ciągle płyną, nigdy nie jest taka sama. Nawet jeśli wejdzie się do niej dokładnie w tym samym miejscu, co przed minutą, woda będzie już inna. Zmienność to cecha wszystkiego i dotyczy także człowieka. Każdy dzień, nowe przeżycie, doświadczenie sprawiają, że wciąż się zmieniamy. Zmienia się także wszystko, co nas otacza. Jak i kiedy zastosować to filozoficzne porzekadło? Możecie przytoczyć je wówczas, gdy na przykład koleżanka zwierzy się wam, że nie odczuwa już takiej radości jak rok wcześniej podczas wyjazdu w góry. Nie ma bowiem możliwości, aby wielokrotnie przeżyć dokładnie to samo. Wszystko płynie i zmienia się jak woda w rzece.

Nie wszystko złoto, co się świeci

Przysłowie oznacza, że to, co wydaje się na pierwszy rzut oka wartościowe, wcale nie musi takie być. Za ładną twarzyczką może kryć się zły charakter, a za eleganckim strojem – źle wychowany człowiek. Złota biżuteria pięknie się błyszczy i przyciąga wzrok, jednak dużo kosztuje. Dlatego jubilerzy zaczęli tworzyć ozdoby z niby-złota. Tombak, bo tak nazywa się ten stop metali, jest bardzo podobny do złota, błyszczy się i ma zbliżony do niego kolor. Kto nie ma wprawy, nie odróżni złota od tombaku, czyli tego, co wartościowe, od tego, co niewiele warte. Pozory mylą!

Niedaleko pada jabłko od jabłoni

W sadzie rosną różne jabłonie: kosztele, malinówki, szare i złote renety, antonówki. Jesienią pod każdym z drzew leżą dojrzałe owoce, każdy owoc blisko drzewa, które go zrodziło. Dlatego złotych renet nie znajdziemy pod drzewem z kosztelami. Kiedy mówimy, że niedaleko pada jabłko od jabłoni, to oznacza, że dziecko zachowaniem przypomina swojego rodzica: podobnie myśli i postępuje. Jeśli ktoś jest szlachetny i uczciwy jak jego tata czy mama, to przysłowie należy traktować jako komplement. Jeśli zaś komentuje ono złe zachowanie dziecka, to jest krytyką, która dotyczy także rodzica.

Nosił wilk razy kilka, ponieśli i wilka

Przed wiekami w Polsce żyło bardzo dużo wilków. Siały one postrach wśród ludzi, zwłaszcza zimą, kiedy trudno było coś upolować. Watahy wilków podkradały się wówczas pod obory i chlewy, aby zaatakować zwierzęta domowe. Ówczesne zabudowania gospodarcze były niskie, drewniane, pokryte słomą. Wilki przedostawały się do nich bez trudu. Ludzie starali się pilnować swego dobytku i urządzali na nie polowania. Czasami udawało im się dopaść jakiegoś drapieżnika. Stąd wzięło się przysłowie, które oznacza, że ktoś źle potraktowany zasłużył sobie na to, bo sam postępował wcześniej wobec innych w podobny sposób.

O wilku mowa, a wilk tuż, tuż

Przysłowia tego używali już starożytni. W języku polskim przybrało ono formę: O wilku mowa, a wilk tuż, tuż. Posługujemy się nim jako żartobliwym powitaniem kogoś, kto pojawia się wśród nas akurat w momencie, kiedy o nim rozmawiamy. Jeśli mówiliśmy o tym człowieku dobre lub obojętne rzeczy, wszystko w porządku. Gorzej, gdy byliśmy złośliwi lub niesprawiedliwi wobec tej osoby. Wtedy możemy się tylko wstydzić i przeprosić za swoje zachowanie.

Obiecanki cacanki,
a głupiemu radość

Czy wiecie, co oznacza słowo „cacanki"? W dawnej polszczyźnie
określano w ten sposób coś miłego. Gdy tata obiecuje Magdzie,
że pójdą razem do kina, jest to miła zapowiedź. Podobnie kiedy
Marcin mówi bratu, że podaruje mu samochodzik wyścigowy.
Tata Magdy i Marcin dotrzymują słowa i są godni zaufania. Zdarzają
się jednak sytuacje, że ktoś składa jakąś obietnicę, a potem się
z niej nie wywiązuje. Ciocia Zosia obiecała Marcie, że nauczy ją
szydełkować, ale gdy się spotykają, mówi: „Następnym razem,
Martuś". W tej sytuacji nie dziwi komentarz taty Marty: „Obiecanki
cacanki, a głupiemu radość". Tata nie chce przez to powiedzieć,
że jego córka jest głupia, wyraża tylko w ten sposób swoje zwątpienie
w zapewnienia cioci. I nie wierzy jej tak samo jak Marta.

Oczy są zwierciadłem
duszy

Zwierciadło to staropolska nazwa lustra. Powiedzenie
to wyraża przekonanie, że tak jak lustro odbija twarz
czy sylwetkę człowieka, tak oczy pokazują nasze we-
wnętrzne przeżycia. Patrząc komuś głęboko w oczy,
możemy poznać jego charakter, zobaczyć, jaki jest
naprawdę i jakie ma wobec nas zamiary. Zimne spoj-
rzenie cechuje człowieka bezwzględnego, dążącego
do celu za wszelką cenę. Ciepłe – człowieka otwartego,
gotowego pomagać innym.

Osiołkowi w żłoby dano, w jeden owies, w drugi siano

Sławny komediopisarz Aleksander Fredro napisał kiedyś bajkę
o osiołku. Miał on dobrego pana, który bardzo się o niego troszczył.
Starał się, żeby zwierzę zawsze miało pełen żłób, a nawet dwa – jeden
z sianem, drugi z owsem. Osiołek nie mógł się zdecydować, co sma-
kuje mu bardziej, siano czy owies. Kiedy brał do pyska siano, żal
mu było złocistego owsa. Gdy próbował jeść owies, nęcił go zapach
siana. Minął dzień i drugi, aż wreszcie niezdecydowany kłapouch
padł z głodu wśród dostatku jadła. Bajka Fredry to przestroga
dla ludzi, którzy nie mogą dokonać wyboru, przez co wiele tracą.
Jeśli masz podjąć decyzję, zrób to! Nie postępuj jak osiołek,
bo może się to źle skończyć.

Paluszek i główka to szkolna wymówka

Uczniowie wymyślają różne dolegliwości, byleby tylko nie
otrzymać jedynki za brak wiedzy czy pracy domo-
wej. Kiedy Maciek usprawiedliwia się, że nie nauczył się wiersza na pamięć, ponieważ bolała go
głowa, a Kasia mówi, że nie napisała wypraco-
wania, bo skaleczyła się w palec, nauczyciel może
przytoczyć właśnie to powiedzenie. Ale nie odnosi
się ono wyłącznie do szkolnej rzeczywistości. Możemy
go użyć również wtedy, gdy ktoś wymiguje się
od obowiązków, zasłaniając się wymyślonymi
dolegliwościami. Kiedy pan Jacek mówi
przełożonemu, że nie skończy rysować
projektu, ponieważ boli go ręka, a kilka
godzin później rozgrywa mecz w siatków-
kę, to wiemy, że jego „choroba" była jedynie
sposobem na uniknięcie pracy.

Pańskie oko
konia tuczy

To jedno z najstarszych polskich przysłów. Wyraża ono opinię, że osoba zlecająca jakąś pracę powinna jej osobiście doglądać. Wówczas ci, którzy ją wykonują, bardziej się starają i efekt jest lepszy. Mama poprosiła Patrycję o posprzątanie pokoju gościnnego. Dziewczynka ochoczo zabrała się do pracy, ale kiedy mama zniknęła w kuchni, Patrycja pogrążyła się w lekturze znalezionej na sofie książki. Jeśli chcecie mieć pewność, że coś, na czym wam zależy, zostanie właściwie wykonane, dopilnujcie tego.

Pasuje jak wół do karety

Kareta to marzenie wielu dziewczynek. Oczywiście zaprzężona w czwórkę pięknych koni i z woźnicą. Bo do pięknej karety pasują tylko piękne konie. Przecież nikt wołu do niej nie zaprzęgnie! A jednak w dawnych czasach tak niekiedy bywało. Gdy kareta utknęła w błocie, na środku wyboistej drogi, konie nie miały siły, aby ją wyciągnąć. Z takim ciężarem najlepiej radziły sobie wielkie i silne woły, które jednak, jako zwierzęta niezbyt zgrabne, przy karecie prezentowały się pokracznie. Kiedy na przykład ktoś ubierze się, zestawiając bardzo dziwnie ubrania, wtedy można powiedzieć, że coś pasuje jak wół do karety. Albo gdy na imieniny babci, zamiast wyjściowych spodni i koszuli, wnuczek włoży wyciągnięty dres, może usłyszeć dokładnie to samo.

Pierwsze śliwki robaczywki

W ogródku działkowym babci rosną owocowe drzewa: jabłonie, grusza i dwie śliwy. Wszystkie rodzą smaczne owoce. Ale, nie wiedzieć czemu, co roku okazuje się, że w tych, które pierwsze dojrzały, zamieszkał robaczek. „Pierwsze śliwki robaczywki" – powtarza wtedy babcia, wrzucając owoce do kompostownika. Tego przysłowia możemy użyć w sytuacji, gdy dopiero się czegoś uczymy i jeszcze niezbyt dobrze nam to wychodzi. Na przykład kiedy po raz pierwszy pieczemy ciasto, zazwyczaj wychodzi zakalec. Gdy wyszywamy pierwszą serwetkę, ściegi są krzywe. A gdy rozkręcamy budzik, by go naprawić, zostaje kilka „niepotrzebnych" części. Za to kolejne próby dają zupełnie inne efekty. Bo tylko te pierwsze są nieudane.

Pies, który szczeka, nie gryzie

U sąsiadów za płotem często słychać szczekanie psa. Gdy ktoś wchodzi lub wychodzi albo po prostu idzie chodnikiem wzdłuż płotu, Bumer robi wiele hałasu. Można by pomyśleć, że to bardzo niebezpieczny pies. Ale wystarczy coś do niego powiedzieć, a Bumer już się łasi i domaga głaskania. I wcale nie ma zamiaru gryźć! Podobnie bywa z ludźmi. Ktoś, kto bardzo wiele mówi, nawet krzyczy i się odgraża, poprzestaje na słowach, bo tak naprawdę nie jest w stanie nic złego nikomu zrobić. Jeśli w trakcie roku szkolnego przyjdzie do klasy nowy kolega, a woźny nakrzyczy na niego za hałasowanie na szkolnym korytarzu, możesz pocieszyć go przysłowiem: Pies, który szczeka, nie gryzie.

Po burzy słońce, a po deszczu tęcza

Każde niemiłe wydarzenie kiedyś się skończy, a po nim nadejdzie
spokój. Czy pamiętacie ostatnią letnią burzę? Niebo z niebieskiego
zrobiło się najpierw bardzo ciemne, potem błysnęło, zagrzmiało,
a na koniec spadł rzęsisty deszcz. A kiedy już się przejaśniło i wyszło
słońce, na niebie powstała przepiękna kolorowa tęcza. Zupełnie taka
sama jak w bajce Kornela Makuszyńskiego o koziołku Matołku!
Przysłowiem o tęczy możemy pocieszyć koleżankę czy kolegę
i to nie tylko wtedy, gdy grzmi lub pada deszcz. Marysia
zachorowała na świnkę. Pomimo starań mamy była
niepocieszona, że będzie musiała spędzić w domu
ponad tydzień. Dopiero gdy zadzwoniła do niej
koleżanka i powiedziała, że za dwa tygodnie
klasa wybiera się do Teatru Muzycznego, Marysia
uśmiechnęła się i zawołała: Po burzy będzie słońce.

Porywać się z motyką na słońce

Słońce jest oddalone od Ziemi o wiele lat świetlnych.
I, jak na razie, nie mamy szans, aby do niego dotrzeć.
Kiedy więc mówimy, że ktoś porywa się z motyką
na słońce, to oznacza, że usiłuje uczynić rzecz
niemożliwą. Gdy ciocia Wisia wybiera się na
30-kilometrową wycieczkę rowerową, a na
rowerze nie jeździła od wielu lat, nie dziwi-
my się, że wujek kiwa głową i kwituje te
zamiary przysłowiem. Taka wyprawa wymaga
odpowiedniego przygotowania. Kiedy ktoś nie
ma sił i możliwości, aby zrealizować zbyt ambit-
ny plan, wtedy można go powstrzymać przypo-
minając porzekadło o słońcu i motyce.

Potrzeba
jest matką wynalazków

Czy pamiętacie bajkę o pomysłowym Dobromirze? Gdy miał wykonać jakąś pracę, konstruował narzędzie, które pomagało mu szybciej i lepiej sobie z nią poradzić. Tak było w bajce, ale podobnie jest w życiu. Ludzie wymyślają nowe przedmioty, urządzenia, maszyny, aby zaspokajać swoje potrzeby i czynić życie łatwiejszym. Trzydzieści lat temu mieliśmy tylko telefony stacjonarne, a teraz większość ludzi korzysta z komórek, bo w taki sposób łatwiej i wygodniej się porozumieć. Kiedyś mama godzinami myła naczynia, teraz robi to za nią zmywarka. A w tym czasie mama może poczytać książkę lub pomóc córce w odrabianiu lekcji. Jeśli widzimy, że kolega z piórnika i książek buduje stelaż, aby ustawić na nim zdjęcie, które ma kopiować, to możemy pokiwać z uznaniem głową i powiedzieć: „Potrzeba jest matką wynalazków".

Powiedziały jaskółki,
że niedobre są spółki

Można podzielić się z kimś batonikiem lub kanapką, wspólnie zbudować zamek z klocków, wykonać projekt na lekcję przyrody czy upiec ciasto na klasową zabawę. Gdy nauczycielka zadała Maćkowi i Piotrkowi pracę – przygotowanie makiety średniowiecznego zamku, chłopcy od razu podzielili się zadaniami. Maciek zobowiązał się zrobić zamek z czterema wieżami i podwójną bramą wjazdową, zaś Piotrek, planszę z lasem, jeziorem i fosą, na której miała stanąć budowla. Kiedy Maciek przyniósł piękną makietę zamku, nie było jej na czym postawić, ponieważ Piotrek nie wykonał swojej części pracy. W tej sytuacji można stwierdzić: Powiedziały jaskółki, że niedobre są spółki. Oznacza to, że współpraca z kimś nieodpowiedzialnym, zamiast spodziewanej korzyści, przynosi straty.

Prawda jak oliwa
zawsze na wierzch wypływa

Podczas lekcji fizyki nauczyciel robi doświadczenie. Do pół szklanki wody wlewa dwie łyżki oliwy. Oliwa najpierw opada na dół, ale po chwili wypływa do góry. Ma mniejszą gęstość niż woda i dlatego pozostaje na jej powierzchni. I choćbyśmy próbowali zalać ją wodą i tak wciąż będzie wypływać. Tak samo jest z prawdą. Niezależnie od tego, jak bardzo chcielibyśmy ją ukryć, ona i tak wypłynie na powierzchnię. To przysłowie przypomina nam, że nie warto kłamać. Lepiej od razu przyznać się do popełnionego błędu, niż przeżywać wstyd wtedy, gdy ktoś odkryje kłamstwo.

Prawdziwych przyjaciół
poznaje się w biedzie

Przysłowie o przyjaciołach było znane już w starożytności. Rzymski poeta Enniusz, żyjący na przełomie III i II wieku przed naszą erą, umieścił je w jednym ze swoich wierszy. Starożytni cenili przyjaźń i uznawali wagę tego powiedzenia, które do dziś nie straciło aktualności. Bieda oznacza trudną sytuację, w której może znaleźć się każdy z nas, na przykład utratę kogoś lub czegoś. Kiedy zgubimy ulubioną książkę czy dostaniemy jedynkę z klasówki z matematyki, możemy liczyć na przyjaciela. Pożyczy swój egzemplarz lub pomoże przy powtórce trudnego materiału... Bo prawdziwych przyjaciół poznajemy w biedzie.

Przez żołądek
do serca mężczyzny

Chyba każdy z nas lubi zjeść smaczną, dobrze przyrządzoną potrawę. Tak więc, jeśli kobieta częstuje swego wybranka pysznym, własnoręcznie zrobionym daniem, łatwo może zyskać jego przychylność. Przysłowie mówi zatem, że umiejętności kulinarne są pomocne w zdobyciu względów mężczyzny. Jeśli widzicie, że koleżanka podkarmia kolegę przysmakami, to możecie zażartować, używając tego właśnie porzekadła.

Raz na wozie,
raz pod wozem

Dziś wóz jest już przestarzałym środkiem lokomocji. Można go jeszcze czasami zobaczyć na wsi. Kiedyś w gospodarstwie używano dwóch rodzajów wozów: drabiniastego i krytego. Boki pierwszego z nich wyglądały jak długa drabina, stąd wzięła się jego nazwa. Wożono nim siano lub snopki zboża. Z kolei wóz kryty miał zabudowane boki i służył do transportowania ziemniaków czy buraków pastewnych. Jeżdżono nim także na targ do miasta. Wozy nie miały pasów bezpieczeństwa, więc łatwo można było z nich spaść i znaleźć się w niezbyt korzystnym położeniu. Stąd wzięło się przysłowie, które oznacza, że los człowieka jest zmienny, raz jest dobrze, a raz źle, raz ma szczęście, a innym razem mu go brakuje.

Ryba psuje się od głowy

Kiedy mówi się, że ryba psuje się
od głowy, oznacza to, że człowiek
w swoich złych poczynaniach
naśladuje tych, którzy są wyżej
od niego w hierarchii i rządzą.
Jeżeli w jakiejś instytucji dyrektor nie prze-
strzega godzin pracy, spóźnia się, niegrzecznie
odnosi się do podwładnych, to bardzo szybko
znajdzie naśladowców. I wówczas następuje łań-
cuszek: dyrektor, wicedyrektor, asystent, sekre-
tarka, wszyscy zaczynają postępować niewłaści-
wie. Ten, kto jest wyżej, staje się wzorem dla
podwładnego. A skąd w przysłowiu wzięła się
ryba? Chodzi o porównanie. Ludzie naśladują złe zachowania
swoich zwierzchników tak samo szybko, jak psuje się surowa ryba.
To powiedzenie uświadamia, że osoby będące „na świeczniku"
powinny zawsze dawać dobry przykład.

Starość nie radość, śmierć nie wesele

To przysłowie używane jest zazwyczaj przez ludzi starszych, którzy
odczuwają różne dolegliwości związane z wiekiem, odbierające im
w jakimś stopniu radość życia. Łamanie w kościach, zadyszka, ból
w kolanie mogą być nim żartobliwie skomentowane. Babcia Moniki
bardzo lubi jeździć na nartach, ale od kiedy zaczął dokuczać jej artre-
tyzm, zaprzestała szusowania po stokach. Jej kolejną pasją stało się
rysowanie węglem. Od czasu do czasu jednak robi krótkie wypady
na narty. I wtedy zazwyczaj mówi: „Starość nie radość...". Ale będąc
osobą pogodną, po chwili dodaje: „Jak się nie ma, co się lubi, to się
lubi, co się ma".

Strach ma wielkie oczy

Niewiele osób lubi wizyty u stomatologa. Z szeroko otwartą buzią nie można nic powiedzieć, a pani dentystka opukuje zęby, pryska na nie zimną wodą lub je boruje. „Boję się. Nie pójdę!" – woła Nadia i ciągnie mamę w drugą stronę. „Strach ma wielkie oczy. Chodź, pokażę ci, jakie duże" – zachęca pani doktor. Nadia siada na fotelu. Pani stomatolog pokazuje, do czego służą poszczególne narzędzia. A potem daje dziewczynce lusterko powiększające. „Jakie duże oko!" – woła zdumiona Nadia. „Teraz spójrz w lustro z drugiej strony" – namawia dentystka. „Normalne" – mówi Nadia. „Tak samo jest z twoim strachem" – dodaje pani doktor. Co chciała przez to powiedzieć? To, że kiedy czegoś nie znamy, boimy się tego. I żadne tłumaczenia do nas nie docierają. Jeśli ktoś wytłumaczy nam, że to nasza wyobraźnia podsyca strach, to jest szansa, że zmniejszy się on do właściwych rozmiarów i pozwoli nam rozsądnie spojrzeć na to, co nas czeka.

Syty głodnego nie zrozumie

Człowiek syty, czyli najedzony, nie odczuwa głodu. I trudno mu wczuć się w sytuację kogoś, kto jest głodny. Jacek spałaszował w stołówce obiad, a Maciek tylko małą kanapkę na pierwszej przerwie. Jacek biegnie w czasie przerwy na boisko i chce, aby Maciek mu towarzyszył. Ale kolega jest głodny i idzie coś przekąsić do stołówki. „Też coś – mruczy Jacek – strata czasu". Jacek nie rozumie Maćka, bo sam ma pełen brzuch. Ale przysłowie nie odnosi się tylko do jedzenia. Pani oddała sprawdziany z przyrody. Wracając ze szkoły, Kasia szaleje z radości, ponieważ dostała szóstkę, za to Marlena wlecze się za nią, bo jej pracę pani oceniła na jedynkę. Kasia proponuje koleżance, by się pościgały i dziwi się, że Marlena nie chce. Jeśli ktoś jest zadowolony, trudno mu zrozumieć kogoś smutnego.

Szewc bez butów chodzi

Niegdyś szyciem butów zajmował się szewc. Zdejmował klientom miarę i szył dla nich buty. Dlaczego mawia się, że szewc bez butów chodzi? Ano dlatego, że skupiał się na wykonaniu obuwia dla klientów i nie starczało mu już czasu ani materiału na zrobienie butów dla siebie. Kiedy teraz używamy tego przysłowia, mamy na myśli to, że człowiek, będący specjalistą w danej dziedzinie, zaniedbuje swoje własne sprawy. I tak na przykład mechanik ma zepsuty samochód, żona miesiącami prosi męża elektryka, by naprawił lampę, a u hydraulika w łazience kapie woda z kranu.

Śmiech to zdrowie

Już starożytni medycy wiedzieli, że aby chory szybciej wracał do zdrowia, trzeba zadbać o jego dobry nastrój i pozytywne nastawienie. I tak jest do dziś – kto się śmieje, ten zdrowieje! Śmiech leczy i ciało, i duszę. Jak to się dzieje? Otóż to świetna gimnastyka dla mięśni brzucha i twarzy, a gdy do tego jeszcze popłyną nam łzy, oczyszczają się oczy. Przede wszystkim jednak poprawia się krążenie krwi, mamy więcej werwy i większy zapał do życia. Wszystko to powoduje, że człowiek staje się zdrowszy i dłużej żyje. Ponadto energiczna i radosna osoba jest mile widziana w każdym towarzystwie, ma wielu przyjaciół i znajomych. Potrafi też spożytkować swoją energię, aby pomagać innym. Uśmiech na twarzy sprawia, że świat wydaje się piękny, nawet jeśli za oknem pada deszcz. Dlatego warto się śmiać. Aż do łez!

Ten się śmieje,
kto się śmieje ostatni

Przysłowie w sposób obrazowy przekazuje nam, że prawdziwym zwycięzcą jest nie ten, kto jest lepszy podczas gry, tylko ten, kto ją wygrywa. Jeśli oglądaliście zawody sportowe, doskonale wiecie, jakie może być ono trafne. Drużyna Polski gra w piłkę nożną, wygrywamy 1:0, kibice w biało-czerwonych czapkach i szalikach szaleją z radości, powiewają transparentami i gratulują sobie wygranej. A tu w ostatnich dwóch minutach przeciwnik wbija jednego gola, potem drugiego i… Klops! Przegraliśmy! To przysłowie możemy zastosować do każdej rywalizacji, nie tylko tej sportowej.

Tonący
brzytwy się chwyta

W czasach, kiedy nie było jeszcze elektrycznych golarek, panowie golili się brzytwą – narzędziem podobnym do noża, ale tak ostrym, że łatwo można było się nim zranić. Dlaczego więc w przysłowiu tonący chwyta się ostrza brzytwy, której normalnie za nic w świecie by nie dotknął? Bo osoba tonąca to taka, która znalazła się w bardzo trudnej sytuacji. Aby się uratować, podejmuje działania niebezpieczne, a czasami nawet nieuczciwe. To przysłowie może być komentarzem do czyjegoś postępowania lub stanowić usprawiedliwienie jego zachowania w podbramkowej sytuacji.

Trafiła kosa na kamień

Kosa to narzędzie rolnicze, obecnie coraz rzadziej używane, służące do ścinania trawy czy zboża. Kiedy rolnik przypadkowo uderzył kosą w kamień, to jej ostrze tępiło się, wyginało, a nawet pękało. Żeby kosa dobrze kosiła trawę, musiała być doskonale naostrzona. Gdybyście przenieśli się sto lat wstecz na łąkę podczas sianokosów, usłyszelibyście charakterystyczny dźwięk pocierania osełką o metal. Naostrzona kosa była niebezpieczna i można było się nią poważnie skaleczyć. Kamień był jedyną przeszkodą, której nie mogła pokonać. Gdy mówimy: Trafiła kosa na kamień, to oznacza, że ktoś bardzo silny lub przebiegły natknął na równego sobie przeciwnika – czy to w rozmowie czy w sportowym pojedynku. I nie wiadomo, kto zwycięży.

Trafiło się jak ślepej kurze ziarno

Kury uwielbiają przechadzać się po podwórzu i wygrzebywać z ziemi różne smakołyki. Wielkim rarytasem są dla nich soczyste trawki, robaczki, a także okruchy pieczywa, resztki warzyw i oczywiście ziarna. Gdy kura straci wzrok, tylko przypadkiem udaje się jej znaleźć jakiś przysmak. Komentując za pomocą tego przysłowia czyjś sukces, dajemy do zrozumienia, że ani jego wysiłki, ani zasługi, ani umiejętności nie przyczyniły się do niego. Po prostu miał szczęście. Wyobraźcie sobie, że pani w szkole odpytuje z dziesięciu zadanych wcześniej zagadnień. Wyrwana do odpowiedzi Majka przygotowała się tylko z jednego pytania. I co się dzieje? Pani pyta ją akurat z tego tematu! Majka odpowiada i dostaje piątkę. Trafiło się jej jak ślepej kurze ziarno!

Uderz w stół, a nożyce się odezwą

Czy próbowaliście kiedyś uderzyć pięścią w stół, na którym leży metalowy przedmiot? Pod wpływem drgania stołu podskoczy on i wyda metaliczny dźwięk. To zjawisko zrodziło przysłowie: Uderz w stół, a nożyce się odezwą. Oznacza to, że ktoś niepytany zabiera głos w rozmowie, która go nie dotyczy, a piętnuje czyjeś złe zachowanie czy postawę. Wtedy możemy przypuszczać, że ów rozmówca ma coś do ukrycia, a jego udział w rozmowie to zazwyczaj próba odwrócenia uwagi od własnych postępków.

W marcu jak w garncu

Kto lubi pomagać w kuchni, ten wie, że garnek to podstawowe naczynie kuchenne. Można w nim ugotować zupę, ziemniaki, kompot lub dusić mięso. Na początku garnek jest pusty i zimny. Potem, gdy wkłada się do niego potrzebne składniki i zaczyna gotować, robi się wilgotny i ciepły, wreszcie gorący, a kiedy potrawa ostygnie, znów zimny. A co do tego ma marzec? W tym miesiącu też raz bywa mokro i zimno, innym razem ciepło, potem znów i ciepło, i mokro. Ludzie, obserwując przyrodę, doszli do wniosku, że w marcu pogoda jest tak zmienna, jak temperatura w garnku. Jeśli chcecie zabłysnąć znajomością klimatu w Polsce, śmiało możecie posłużyć się tym przysłowiem.

W zdrowym ciele
zdrowy duch

Już bardzo dawno temu ludzie zauważyli, że ten, kto ma zdrowe
ciało, nie skarży się na dolegliwości, jest pogodny i dobrze usposobio-
ny do świata, czyli ma zdrowego ducha. Jeśli ktoś dba o kondycję
fizyczną – jeździ rowerem, gra w piłkę, gimnastykuje się – rozpiera
go energia i nie poddaje się stresom. Zdrowy i pełen ochoty do życia
człowiek nie załamuje się niepowodzeniami, nie boi się przeszkód,
tylko je pokonuje. Jeśli kolega nie ma ochoty grać w piłkę czy jeździć
na rowerze, przytocz mu to powiedzenie. To może zachęcić go
do aktywności.

Wszędzie dobrze,
ale w domu najlepiej

Jak miło jest podróżować, zwiedzać obce kraje, inne miasta, podziwiać
szczyty gór czy łagodne falowanie morza… Ale kiedy pełni wrażeń
wracamy z wakacji, z ulgą otwieramy drzwi mieszkania i mówimy:
Wszędzie dobrze, ale w domu najlepiej. Tu nie czeka nas żadna nie-
miła niespodzianka, znamy wszystkie kąty, wiemy, gdzie stoi herbata
czy cukier, gdzie mama chowa ciasteczka. Wszystko jest znane,
bliskie i przyjazne. Dom to nasz azyl, miejsce, w którym najlepiej
odpoczywamy, czujemy się bezpiecznie i swobodnie. Nikt i nic nas
nie krępuje. Przysłowie wyraża przekonanie, że dom jest najbliższym
sercu miejscem na ziemi.

Wyszło szydło z worka

Gdy cytujemy to przysłowie, to znaczy, że jakaś wcześniej skrywana informacja ujrzała światło dzienne. Bo prawda, niezależnie od woli człowieka, i tak zawsze zostanie ujawniona – celowo czy przypadkiem. A co jest źródłem tego porzekadła? Otóż niegdyś szydło było częścią wyposażenia warsztatu szewca. Robiono nim dziurki w skórze, następnie przeciągano przez nie dratwę, czyli grubą lnianą nitkę, która służyła do szycia butów. Gdy szewc wędrował od miasta do miasta ze swoim workiem na plecach, to czasami niespodzianie szydło przebijało się przez worek, zdradzając jego fach. Gdy macie jakieś tajemnice, to strzeżcie ich dobrze!

Z dużej chmury mały deszcz

Na pewno widzieliście nieraz ciemne chmury gromadzące się na niebie, zapowiadające rzęsisty deszcz. Ale czasem zamiast spodziewanej wielkiej ulewy mamy kilkuminutowy kapuśniaczek. To zjawisko pogodowe jest źródłem przysłowia obrazującego zarozumialstwo ludzi. Od czasu do czasu słyszymy czyjeś szumne zapowiedzi dotyczące zdarzenia, które nastąpi. I kiedy wszyscy oczekują na to, co ma się wydarzyć, okazuje się, że to, co miało być wielkie i ważne, jest nic nieznaczącą drobnostką. Kajtek chwalił się przed klasą, że przygotował najlepsze przebranie na bal karnawałowy i zapewniał, że wszyscy padną z wrażenia na jego widok. Gdy jednak wszedł do sali przebrany za mumię, nikt nie zwrócił na niego uwagi, za to wszyscy z zapartym tchem śledzili Wojtka-dinozaura. No cóż, z dużej chmury mały deszcz.

Z żartami jak z solą,
nie przesadź, bo bolą

Wszyscy lubimy żartować. Mama śmieje się z taty, że jeśli zje kolejną porcję makaronu, to oderwie mu się guzik w spodniach. Kacper żartuje z siostry, że z taką ilością biżuterii na szyi nie musi mieć przy tornistrze elementów odblaskowych. Z kolei Monika drażni się z kolegą, nazywając go Parówką, bo na drugie śniadanie zawsze zajada ulubioną kiełbaskę. Kiedy obie strony się śmieją i żart nie sprawia im przykrości, wszystko jest w porządku. Ale… No właśnie. Czy jedliście kiedyś przesoloną zupę? Brrr… Niedobra, trudno ją przełknąć i drapie w gardle. Tak też jest z żartami, które są przesadzone, nietrafione. Nie wywołują śmiechu, tylko ranią. Jeśli osoba, która dowcipkuje, nie zauważa, że robi koledze czy koleżance przykrość, możemy jej zwrócić uwagę właśnie tym przysłowiem. Z żartami jak z solą, nie przesadź, bo bolą.

Zakazany owoc najlepiej smakuje

Czy wiecie, skąd pochodził zakazany owoc? Z rajskiego ogrodu, oczywiście. Nie wolno było go zjeść. A skoro coś jest zabronione, to naturalnie bardzo chce się tego spróbować. Pani od wychowania fizycznego zakazała chłopcom w szatni wchodzić na parapet. Jak tylko nauczycielka wyszła, jeden po drugim zaczęli się na niego wspinać. Maciek spadł i skręcił sobie kostkę, a Marek stłukł kolano. Mama przed wyjściem na nocny dyżur do szpitala nie pozwoliła Monice oglądać telewizji. Ale kiedy tylko drzwi się za nią zamknęły, dziewczynka zasiadła przed telewizorem i… bardzo się wynudziła, ponieważ film dla dorosłych był po prostu za trudny. Przysłowie mówi nam, że to, co zabronione, często wydaje się najbardziej atrakcyjne. A tak naprawdę zwykle takie nie jest.

Zamienił stryjek
siekierkę na kijek

Jak myślicie, co posiada większą wartość – siekierka czy kijek?
Oczywiście, siekierka. Można nią odrąbać gałązkę, a przy odrobinie
wprawy użyć zamiast młotka. Kijek ma zdecydowanie mniejsze
zastosowanie. Gdy cytujemy przysłowie, mamy na myśli zamianę
czegoś lepszego na gorsze. Weronika i Patrycja robiły przegląd
w szafie. Każda z sióstr układała swoje rzeczy na łóżku. Nagle Patrycja,
która od kilku tygodni lubiła wszystko, co niebieskie, zawołała:
„Niebieski sweterek! Zamienisz się ze mną? Dam ci ten czarny".
„Ale on jest stary…" – zaczęła Weronika. „To nic!" – przerwała Patrycja
i pobiegła oglądać film. Następnego ranka Patrycja walczyła z zamkiem
niebieskiego sweterka, który był popsuty „Próbowałam ci to wczoraj
powiedzieć". „Mhm" – mruknęła Patrycja. I zrezygnowana dorzuciła:
„Zamienił stryjek siekierkę na kijek".

Zanim słońce zajdzie,
diabeł diabła znajdzie

To przysłowie można przedstawić za pomocą zabawnej scenki – jeden
diabełek szuka drugiego w lesie oświetlonym promieniami zachodzą-
cego słońca. Diabełki są czarne i trudno je od siebie odróżnić. I właśnie
o to chodzi w tym powiedzeniu – o przyciąganie się podobieństw.
Ludzie o takich samych upodobaniach czy skłonnościach zawsze się
odnajdują. Ale dlaczego akurat do porównania użyto diabłów, a nie
na przykład słoni? Bo powiedzenia używano zazwyczaj po to, aby
zganić czyjeś złe zachowanie, a diabeł kojarzy się z czymś złym.
Jeśli Piotrek lubi pisać po ławce, to zbliży się do Witka, który
niszczy ławki w ten sam sposób. I wtedy pani wychowawczyni
może użyć powiedzenia o diabłach.

Zapomniał wół,
jak cielęciem był

Jeżeli ktoś starszy i bardziej doświadczony krytykuje młodszego za błędy, które kiedyś sam popełniał, wtedy można przytoczyć to powiedzenie. A czy widzieliście kiedyś cielę krowy? Łagodne, bojaźliwe, niedoświadczone, a jednocześnie ciekawskie. Bryka, gania za motylkami, wkłada nos do wiadra z karmą dla prosiąt… Gdy dorasta, przestaje rozrabiać, zapominając często, jak bywało dawniej. Przysłowie ma nam uzmysłowić, że każdy wiek ma swoje prawa. Dorośli powinni pamiętać, że kiedyś sami byli młodzi i wykazywać zrozumienie dla młodszych i mniej doświadczonych osób.

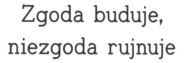

Zgoda buduje,
niezgoda rujnuje

Plaża, piasek i słońce. Wymarzone wakacje! Można kąpać się w morzu, grać w piłkę, budować zamki z piasku. Potrzebne są tylko wiaderko, łopatka i dużo cierpliwości. I jeszcze cztery ręce albo i więcej. A dlaczego? Budowanie z piasku to praca zespołowa, jedna osoba usypuje piasek, druga polewa wodą, trzecia formuje, czwarta uklepuje… W promieniach gorącego słońca piasek szybko wysycha i jeśli budowla nie jest nawilżana, to po prostu się sypie. Jeżeli budowniczowie współpracują ze sobą, to dzieło szybko powstanie i długo przetrwa. A jeśli nie potrafią dzielić się pracą, to z pięknie zapowiadającej się budowli zostanie jedynie kupka piasku. Bo zgoda buduje, a niezgoda rujnuje. Już starożytni o tym wiedzieli i wypisywali to zdanie na murach domów.

Złego diabli nie biorą

Przysłowia tego używa się, by w żartobliwy sposób zaakcentować, że sytuacja, w jakiej się znaleźliśmy, była poważna, ale na szczęście nic złego się nie stało. Wyobraźcie sobie, że jedziecie rowerem po leśnej ścieżce i najeżdżacie na wystający korzeń. Szast-prast, spadacie z roweru, dużo hałasu, trochę strachu i… nic. Żadnej rany, skaleczenia, nawet siniaka! A wyglądało tak groźnie. Gabrysia wdrapała się na drzewo, spadła z wysokości dwóch metrów i tylko trochę się potłukła. Zenek jako jedyny uczestnik wycieczki nie złapał kataru po dwugodzinnej wędrówce w czasie deszczu. Roztrzepana Ula zjadła przeterminowany jogurt i nic się jej nie stało. Wszyscy wyszli cało z podbramkowych sytuacji. Złego diabli nie biorą!

Złej tanecznicy przeszkadza rąbek u spódnicy

Jeżeli ktoś nie potrafi lub nie ma ochoty czegoś porządnie zrobić i nie chce się do tego przyznać, to wynajduje różne przyczyny, przez które coś wyszło nie tak, jak trzeba. Basia oddaje niestarannie wykonaną pracę techniczną, ponieważ klej, jakiego używała, brzydko pachniał. Sławek napisał sprawdzian na dwójkę, bo po klasie latała mucha. Kiedy ktoś, jak Basia i Sławek, usprawiedliwia mierny efekt swojej pracy, możemy posłużyć się przysłowiem o baletnicy. Wszystkie dziewczęta na pewno wiedzą, co to jest rąbek u spódnicy. Ale chłopakom chyba należy to wyjaśnić. Z wyjątkiem Szkotów! Rąbek to dolny brzeg spódnicy, obwódka. Czy taki koniuszek przeszkadza w tańcu? Skądże znowu!

Spis treści